Límites
sanadores

Estrategias de autoprotección

Anselm Grün
María M. Robben

Límites
sanadores

Estrategias de autoprotección

Bonum

Título original: *Grenzen stezen - Grenzen achten*

© Verlag Herder Freiburg in Breisgau, 2004.

Grün, Anselm
    Límites sanadores : estrategias de autoprotección /
Anselm Grün y María M. Robben - 13ª ed. -
Buenos Aires : Bonum, 2012.
160 p. ; 22 x 15 cm

ISBN 978-950-507-742-7

1. Autoayuda. I. Robben, María M. II. Título

CDD 158.1

Primera edición: abril de 2005.
Decimotercera edición: junio de 2012.

Trducción: Evelina Blumenkranz
Diagramación: Beton
Corrección: Lorena Klappenbach
Diseño de tapa: Donagh / Matulich

© Editorial Bonum, 2012.
Av. Corrientes 6687 (C1427BPE)
Buenos Aires - Argentina
Tel./Fax: (5411) 4554-1414
ventas@editorialbonum.com.ar
www.editorialbonum.com.ar

Impreso en Argentina
Es industria argentina

"Quien no sabe decir no, enfermará.
Quien siempre quiera responder a todas las expectativas,
pronto notará con dolor sus límites.
Pero sólo aquel que tiene su centro
podrá crecer más allá de sus propios límites.
Y quien sabe de sus límites, podrá acercarse al otro
y encontrarlo verdaderamente."
ANSELM GRÜN

Introducción

En el acompañamiento nos confrontamos una y otra vez al tema del límite. Entre las personas que buscan ayuda, existen muchas que padecen por no poder establecer límites. Ellas no pueden decir no, sino que se encuentran bajo la presión interior de satisfacer todos los deseos que les formulen. Piensan que deberían corresponder a todas las expectativas posibles de los demás. Tienen miedo de decir no, porque temen ya no sentirse pertenecientes, o porque creen que experimentarán rechazo si se rehúsan a algo. Otras comen sin medida: no perciben su propio límite. Y padecen por no poder ponerse límites.

Otras, a su vez, han perdido la capacidad de delimitarse frente a las personas de su entorno. Sus límites se deshacen. De inmediato perciben lo que sienten los demás. Pero no es positivo, de ninguna manera, ya que sus propios sentimientos se confunden constantemente con los de los demás. Están expuestas a los estados de ánimo del entorno y permiten que éstos las determinen. A veces tienen incluso la impresión de que se desintegran. Viven desprotegidas. Quien analiza las historias de vida de estas personas, notará pronto que las causas de ello con frecuencia se remontan muy atrás. Las personas sin límites generalmente han sufrido en la infancia la falta de respeto de sus límites. Tales experiencias lastiman a las personas afectadas. No sólo duelen, muchas veces también tienen consecuencias problemáticas y efectos posteriores duraderos: todos necesitamos nuestro marco de protección. Un ejemplo es la madre que, sin golpear la puerta, ingresó al cuarto de su hija, en su ausencia buscó en los cajones o leyó su diario. Una y otra vez se da este caso: quien sufrió en la infancia tales lesiones a sus límites, a menudo tiene dificultades en sus relaciones durante toda su vida. Los ejemplos pueden continuarse. Todos muestran que nuestra vida únicamente puede resultar exitosa si la vivimos dentro de determinados límites.

¿Pero cómo resulta la vida de una persona, que siempre es una vida de relación? Sin la capacidad de delimitarse no es posible percibir la propia persona y desarrollar su personalidad. La simple mirada al sentido de la palabra lo indica: "persona" significó primitivamente "máscara"; esto es algo que sostengo frente a mí. Puedo tomar contacto con el otro a través de la máscara. El vocablo en latín *personare*, significa "sonar fuerte". A través de mi voz, de mi habla, llego a la otra persona, y de este modo se produce el encuentro. Para que el encuentro resulte es necesario un buen equilibrio entre límite y violación del límite, protección y apertura, delimitación y entrega de sí mismo. Debo conocer mi límite. Recién entonces podré traspasarlo para acercarme al otro y encontrarlo, para palparlo en el encuentro y, probablemente, experimentar un momento de llegar a ser uno.

Visto de este modo, el encuentro siempre tiene lugar en el límite. Debo llegar hasta mi límite, hasta lo más exterior que me sea posible, para llegar al otro. Si el encuentro resulta, los límites ya no son rígidos y divisores. Entonces los límites son fluctuantes, entonces en el límite y más allá del límite se llega a ser uno. El encuentro, sin embargo, no es algo estático sino algo que ocurre siempre en la ejecución viva. Después del encuentro, cada uno retorna a su ámbito, enriquecido por la experiencia del límite.

Para el escritor francés Romain Rolland, el tratamiento adecuado de los límites es, incluso, la clave determinante de la felicidad. Él afirma que: "Felicidad significa conocer sus límites y amarlos". En su óptica, se trata, por lo tanto, no sólo del arte de delimitarse o de conocer nuestros límites. También debemos amarlos. Esto significa que debemos estar de acuerdo con nuestra limitación, agradecidos por los límites que experimentamos en nosotros y en el otro. La clave de la felicidad radica en amarse en su propia limitación y también amar a los hombres con sus límites. No siempre resulta sencillo, ya que preferimos desarrollar imágenes nuestras de ilimitación. No obstante, para Romain Rolland es un hecho: quien se reconcilia con sus límites y se maneja afectuosamente con ellos, tendrá una vida exitosa y experimentará felicidad.

Muchos hombres padecen en la actualidad sobreexigencias, que pueden tener varias causas. Una causa reiterada es que las personas sobreexigidas y extenuadas no han observado su límite. Viven por encima de sus condiciones y en algún momento notan que han perdido su medida interior. Sin la medida correcta, la vida no resulta.

Pero también existen personas a las que les sucede otra cosa: de tanto delimitarse, no descubren su propia fortaleza y nunca crecen más allá de su propio límite. Al contrario: permanecen atrapadas en su estrechez. Decimos que tales personas son muy limitadas. No ven más allá de sus caras. Casi no resisten cargas. Son incapaces de expandir sus propios límites y los de su grupo, a fin de admitir una nueva vida.

Quien habla sobre el tema "límites", siempre se confrontará también con preguntas actuales. Últimamente se discute cada vez más el tema del abuso sexual, un problema tabú durante mucho tiempo. También aquí se trata de la no observancia de los límites. También nuestro propio cuerpo es un límite, y la distancia física, al igual que la cercanía, forman parte de nuestra vida en la comunidad. La cercanía es siempre una expresión de confianza. Pero puede abusarse y lesionarse la confianza. Nuestra lengua conoce la formulación de que alguien "se le acerca demasiado" a uno cuando se traspasan los límites. El abuso es, ante todo, la tentación de las personas que están en una posición más fuerte: padres, tíos, hermanos mayores, asistentes espirituales, terapeutas, médicos y maestros. Ellos no observan sus propios límites, como así tampoco los de las personas que confían en ellos, y abusan de la cercanía y la confianza.

A la inversa, en el acompañamiento también encontramos personas que no quieren percibir nuestros propios límites. No pueden aceptar un no. Tratan, por todos los medios, de imponer sus puntos de vista. Y no quieren comprender que también nosotros tenemos límites que no deseamos extender constantemente.

También las cuestiones de la conformación personal de la vida se encuentran en un contexto político y social mayor: en un mundo en globalización, que cada vez conoce menos límites, evidentemente al hombre le resulta difícil respetar sus límites. Por un lado, experimentamos qué liberador resulta cuando podemos viajar de un país al otro dentro de la UE, sin tener que someternos al antiguamente tan molesto y prolongado control fronterizo. Por el otro, también experimentamos los peligros de la supresión de las fronteras. La identidad se vuelve poco clara. En virtud de las fronteras abiertas, los delincuentes tienen grandes posibilidades, y esto no sólo otorga una libertad adicional, sino que en muchas personas crecen el temor y la inseguridad.

En esta época de creciente aceleración y constante promoción del crecimiento, se modifica asimismo el modo de sentir la vida. Todo simultáneamente, todo ya y en todo momento. Ésta es la ley fundamental secreta de una sociedad *non stop*, una ley según la cual muchos viven en la actualidad. Las personas corren sin pausa en busca de la felicidad, o de lo que ellas consideran que lo es. Nuestro tiempo padece de falta de medida y de límites. No sólo se lo nota en la vida privada, sino también con cada vez mayor frecuencia en el ámbito profesional, donde la presión en el entorno económico más complejo conduce a cargas crecientes que, a menudo, traspasan los límites de lo tolerable. Muchos creen que pueden sobrecargarse más y más para probarse a sí mismos. O experimentan con dolor cómo sus jefes esperan de ellos cada vez más.

Para muchos tampoco existen ya los límites de tiempo. Todo puede realizarse simultáneamente. Al viajar, hablan por teléfono para informar a los demás en qué lugar se encuentran. Uno no se integra a lo exterior. Se dirige al exterior y, sin embargo, quisiera continuar en contacto con su casa. Entonces los límites se entremezclan. Ya no traspasamos los límites hacia el exterior sino que los deshacemos. Esta ilimitación, cualquiera sea el contexto en que aparezca, no le hace bien al hombre. Con frecuencia, inclusive, lo enferma. Ciertos terapeutas opinan que la enfermedad de la depresión, que hoy en día aumenta con gran rapidez, es un grito de ayuda del alma frente a la falta de límites: la depresión obliga al hombre a retraerse sobre sí mismo. En cierta forma, busca protegerlo frente a la fusión.

Otra ilimitación se muestra en el consumo. Siempre debe existir más, todo debe estar de inmediato a nuestra disposición, en todo momento, ni bien sentimos la necesidad. Esto tiene una doble cara: si podemos comprar todo, es difícil experimentar un límite. Cada vez más personas se endeudan, no pueden fijar un límite en su consumo, hasta que, en algún momento, la montaña de deudas les pesa tanto que su vida les muestra nuevamente los límites, tanto más dolorosos y estrechos.

Las experiencias mencionadas durante el acompañamiento y nuestra observación de las condiciones de este tiempo nos han animado a abordar el problema de los límites. Hemos buscado experiencias de límites en la Biblia y considerado conscientemente el tema del límite en conversaciones de asistencia espiritual. Nosotros mismos nos hemos asombrado de la frecuencia con que últimamente nos ha aparecido este problema. Ni bien uno se sensibiliza frente a ello, aparece una y otra vez. No queremos escribir, por cierto, una exposición psicológica o social sistemática acerca del tratamiento de los límites, sino simplemente llamar la atención sobre algunos aspectos que nos han resultado importantes en nuestro trabajo, aspectos que expresan algo sobre nuestra situación actual y que, evidentemente, también pertenecen a la naturaleza del hombre. Las imágenes bíblicas y algunos cuentos que tratan de este tema nos ayudan a entender mejor las propias experiencias. Por este motivo, y para llamar la atención sobre ello, hemos incluido en los títulos de los distintos capítulos unas palabras o un relato de la Biblia. En algunos casos hemos tomado el párrafo bíblico de la traducción latina de la *Vulgata*. Allí se habla a menudo del límite, cuando la traducción unificada emplea otras palabras e imágenes. Tratamos de desarrollar las palabras de la Biblia y otros textos de la tradición de la humanidad como imágenes en las cuales surge el misterio del límite y de la delimitación.

Hemos elaborado este libro en numerosas conversaciones y lo hemos sometido conjuntamente a varios pasos de corrección de lo escrito. Cuando en el texto se dice "nosotros", esto expresa que se trata de nuestra experiencia conjunta. Cuando aparecen formulaciones como "yo", "mi hermana", etc., entonces se refieren al autor del texto: Anselm Grün. Las experiencias descriptas se refieren, generalmente, al acompañamiento de personas. Ramona Robben acompaña a huéspedes individuales en la casa de huéspedes del convento de Münsterschwarzach, que realizan allí un retiro durante algunos días. El padre Anselm acompaña, principalmente, a los sacerdotes y personas de la orden en la casa Recollectio. En el texto no hemos indicado a qué acompañamiento se refieren los ejemplos. Y hemos tratado de generalizar los ejemplos y modificarlos levemente para que no puedan reconocerse las personas afectadas. Conservar el límite de las personas que vienen al acompañamiento es sumamente importante para nosotros. Por esta razón, no hemos relatado tantos ejemplos concretos y sí hemos incorporado nuestras experiencias adquiridas a lo largo de un extenso período de acompañamiento.

I. Los límites evitan la discusión
Del equilibrio entre proximidad y distancia

Conflicto de intereses

La limitación es un viejo tema de la humanidad. También en la Biblia lo encontramos en un punto central. La historia de la humanidad se refleja en la historia de Israel, y la historia de Israel comienza con Abraham. Abraham escucha el llamado de Dios para abandonar su hogar y su casa paterna y dirigirse a la tierra que Él quería mostrarle. Los límites de su patria se le han vuelto muy estrechos. Dios le ordena partir del espacio limitado en el que vivió hasta ese momento. Abraham obedece este llamado y lleva consigo a su mujer y a su sobrino Lot, así como todos los bienes que habían obtenido. La tierra en el Neguev, en la cual Abraham y Lot se desplazaban de aquí para allá con su ganado, era demasiado pequeña para ambos. Dado que existían discusiones constantes entre los pastores de Abraham y los pastores de Lot, Abraham le dijo a Lot: "No haya ahora altercado entre nosotros dos, entre mis pastores y los tuyos, porque somos hermanos. ¿No está toda la tierra delante de ti? Yo te ruego que te apartes de mí. Si fueres a la mano izquierda, yo iré a la derecha; y si tú a la derecha, yo iré a la izquierda" (Gn 13,8 y sig.). Lot se dirige entonces al este y Abraham al oeste. Se establece en Canaán. Una vez que Abraham dejó tras de sí los límites anteriores, debe fijar nuevos límites para que él y su sobrino Lot puedan vivir en paz.

Es una situación que todos conocemos. Abraham y Lot son familiares, pero a pesar de ello existen conflictos de intereses. La discusión surge porque no existen suficientes áreas de pastoreo para ambos rebaños. La historia ocurre aún en la actualidad: existen hermanos que tienen un negocio en común. Pero es demasiado pequeño para ambos. En vez de discutir permanentemente, se separan y acuerdan cómo repartir lo que tenían en común hasta ese momento. Si viven y trabajan a una distancia adecuada y clara entre sí, podrán estar en paz el uno con el otro. Si están demasiado juntos, habrá conflictos.

En toda familia puede suceder algo similar. Lo antedicho no se aplica exclusivamente para la relación entre hermanos, sino también para la relación con los padres. En nuestro camino de vida necesitamos, ante todo, la cercanía de los padres y de la familia. Pero en algún momento se torna demasiado estrecha. Entonces es mejor separarse amigablemente. En mi camino hacia la vida debo conquistar mi propio ámbito y dirigirme a la tierra que Dios pensó para mí. La relación entre cercanía y distancia deberá regularse nuevamente para que nos llevemos bien en forma duradera.

Espacios de desarrollo

También conozco tales historias en el entorno de mi propia orden: entre los misioneros que emigraron a partir de 1888 de St. Ottilien hacia el este de África, se encontraban verdaderos luchadores, hombres caracterizados por su gran espíritu aventurero y enorme impulso de acción. Pero ellos tenían problemas entre sí. Cuando tales luchadores debían llevar a cabo una obra en conjunto, al poco tiempo había regularmente discusiones. Entonces uno se dirigió al este y el otro al norte. De esta forma, ampliaron el territorio de la misión, y allí, donde actuaron, también tuvieron gran éxito. A ellos les sucedió lo mismo que pasó en la historia de Abraham y Lot: dado que dividieron los territorios, cada uno pudo hacer realidad las propias ideas en su tierra. Así surgió una competencia positiva en su accionar. Si hubieran permanecido en el mismo lugar, se habrían combatido y bloqueado. Su fuerte necesidad de independencia y la división de los territorios se convirtió en una bendición para todos.

Es importante el equilibrio entre la cercanía y la distancia. El fundamento que Abraham indica para la separación de su sobrino Lot es interesante: "Pero si somos hermanos". Precisamente porque tienen una relación tan estrecha, deben delimitarse y separarse entre sí, para que cada uno pueda vivir bien dentro de sus límites. Una cercanía excesiva crea discusión, inclusive entre hermanos. Aunque se entiendan muy bien, se producirán conflictos si viven más cerca uno del otro de lo que les conviene. En la historia bíblica se argumenta que la tierra no era lo suficientemente grande para ambos rebaños. Ésta es una imagen de que cada hombre necesita su propio espacio de desarrollo. Necesita su libertad para poder vivir lo que es importante para él. Si con ello entorpece constantemente al otro, se originarán conflictos, por más que personalmente se entiendan muy bien. En las familias sucede lo mismo que en otras comunidades en las que los hombres están demasiado apretujados. La consecuencia, ya sea en el ámbito privado o profesional, es que se **controlan** mutuamente y se reducen uno a otro sus posibilidades de desarrollo. Para que los miembros de una comunidad puedan llevarse bien entre sí, siempre es necesaria una clara determinación de los límites. Los ámbitos de trabajo deben estar claramente separados entre sí para que cada uno pueda desarrollar sus aptitudes en su área. Pero al mismo tiempo es necesaria una buena relación laboral, la disposición a fijarse límites, por ejemplo a través de reuniones acotadas en el tiempo, y conservar los propios límites y los del otro ámbito de trabajo. La proporción equilibrada entre la cercanía y la distancia en la convivencia llega hasta cuestiones locales totalmente prácticas. Requiere la posibilidad de retirada a sus propias cuatro paredes. Cuando una casa es excesivamente permeable a los ruidos, cuando los cuartos no están bien aislados y se escucha continuamente la tos del vecino, tal cercanía generará pronto agresividad. Sólo cuando sea posible retirarse, uno disfrutará al encontrarse. Por esta razón, ambas cosas son necesarias: la cercanía y la distancia, rozarse y retroceder, compromiso y libertad, soledad y comunidad.

Más allá del paraíso

En las conversaciones con personas que padecen del problema de la correcta delimitación, escuchamos a veces: "Pero si nos entendemos tan bien". Si alguien construye demasiado sobre la comprensión recíproca, muchas veces pasa por alto los límites que necesita para entenderse bien con el otro. Si estamos siempre juntos, existirán problemas. Lo mismo se aplica para todo matrimonio. También allí cada una de las partes, hombre y mujer, necesitan el espacio propio en el que puedan estar para sí mismos. Las mujeres cuentan a menudo que surgieron problemas cuando el esposo se jubiló. Todo el día está sentado en casa. Antes se entendían bien. La convivencia estaba limitada a la mañana, la noche y el fin de semana. Dentro de estos límites existía armonía, pero ahora que el esposo está continuamente alrededor de la esposa, de pronto a ella le resulta excesiva esta cercanía. Se torna agresiva. Las agresiones son un signo de que ella necesita más distancia. La mujer siente que tampoco para el hombre es bueno quedarse siempre en casa. Al jubilarse, también necesita su espacio, en el cual pueda comprometerse o realizar sus *hobbies*. Un director de escuelas jubilado contó que el primer tiempo a partir de su jubilación fue un horror para él y su esposa. Él mismo debía asumir que ya no estaba en el punto central y que no era necesario en un marco dado. No obstante, él no quería reconocer que le resultaba tan difícil desprenderse. Entonces proyectaba sus problemas sobre su esposa y criticaba todo. Finalmente, ambos notaron que así no podían continuar. La solución: se pusieron de acuerdo en una estructura saludable del día, en la cual previeron suficiente libertad para cada uno. Y mire usted, de pronto, pudieron volver a llevarse bien entre ellos.

El terapeuta de pareja Hans Jellouschek considera como causa de muchos problemas matrimoniales la gran cercanía de los cónyuges, que creen que en el amor deberían fusionarse siempre. Pero los miembros de una pareja que quieren vivir así nunca se encuentran a sí mismos. La consecuencia: en algún momento padecen su excesiva cercanía. Ya no pueden disfrutar de su sexualidad. Desarrollan síntomas psicosomáticos y discuten constantemente entre sí. Un matrimonio sólo resulta si se convierte en una convivencia equilibrada entre cercanía y distancia. Muchos matrimonios que se quejan de conflictos permanentes en la relación, no entienden si el terapeuta les dice: "Ustedes están demasiado cerca el uno del otro". Ellos creen, precisamente, que su permanente discusión es más bien manifestación de una gran distancia. Pero para Jellouschek es seguro "que la discusión es precisamente una forma de aferrarse entre sí". Por esta razón, él aconseja a las parejas que creen suficientes espacios libres, por ejemplo un ambiente propio en la casa o un día "libre" en la semana, que estructuren para sí solos. Ante tal consejo, algunos sienten temor y creen que se trata del primer paso hacia la separación. Pero sólo cuando aseguren sus propios límites, continuarán juntos y en paz por mucho tiempo. No existe una fusión duradera. Expresado en términos bíblicos: el ángel nos prohíbe definitivamente el acceso al paraíso. En nuestra vida no hay vuelta atrás al paraíso del ser uno ininterrumpido. Vivimos en un ir y venir entre la cercanía y la distancia, entre la unidad y la separación. El paraíso de la unidad definitiva nos espera recién cuando en la muerte seamos uno con Dios y con nosotros mismos, y entre sí.

Delimitación interior y exterior

Parejas jóvenes que todavía viven en la casa de los padres, sufren a menudo la excesiva cercanía de éstos. La mujer tiene con frecuencia la sensación de que su esposo se dirige constantemente a la madre para hallar consuelo cuando existen conflictos en la pareja. Es frecuente que los ambientes de la vivienda no estén suficientemente separados entre sí. Un desencadenante habitual de las dificultades: la suegra aparece sin aviso en la casa, como si fuera la suya. Si bien es cómodo que la suegra cuide de los hijos y le otorgue así tiempo libre a los jóvenes padres, si ella critica permanentemente el estilo de educación, ya está programado un conflicto duradero. Los conceptos dispares respecto a lo que es bueno para los niños forman parte de estos ámbitos problemáticos. Se puede tornar difícil cuando a pesar de que a la nuera le molesta que la abuelita les dé golosinas a los niños, no pueda ponerle un límite ni aclararle a la suegra sin confusión alguna que ella, como madre, quiere ejercer su responsabilidad en la educación. En esos casos, el clima se contamina cada vez más. Entonces no sólo son necesarias separaciones exteriores, sino también una clara delimitación interior. De lo contrario, la familia no podrá desarrollarse nunca. Esta nuera necesita, al igual que Abraham y Lot, su propio territorio, para que la joven familia crezca unida y pueda resolver sus conflictos por sí misma.

La línea divisoria interior es, muchas veces, más difícil que la exterior. Un matrimonio joven gira una y otra vez en torno de lo que los padres o los suegros dijeron acerca de ellos y sus hijos, o qué piensan al respecto. Y cuando visitan a los padres, muchas veces se sienten de inmediato controlados, observados y presionados a determinadas conductas. En una situación tal es importante establecer una delimitación interior. La madre y el padre pueden pensar lo que piensan. Pueden exteriorizar sus deseos y, naturalmente, también tener su opinión. No debo irritarme por ello. Es cosa de ellos. Si trazo claramente el límite entre los padres y yo, podré llevarme bien con ellos. No sentiré que recortan constantemente mi libertad. Yo decidiré cuándo quiero cumplir sus deseos y cuándo no. Y no estaré bajo la presión de tener que convencerlos de que mi opinión es correcta. Habré establecido mis límites y respetaré la limitación de su modo de observar e interpretar el mundo.

Cuando deseamos pasar mucho tiempo juntos y realizar todo en conjunto, es frecuente que surja un clima de agresividad como entre los pastores de Abraham y Lot. Si en cambio, tal como en una comunidad conventual, damos gran importancia al ideal cristiano de comunidad, frecuentemente pasamos por alto que la agresividad es algo humano y normal, y que justamente la estrechez problemática grita para crear más espacio libre. Y en vez de permitir una distancia saludable, apelamos al amor al prójimo: deberíamos tolerarnos y respetarnos los unos a los otros. Pero los llamamientos morales no tienen éxito si no se toman con seriedad las condiciones exteriores bajo las cuales se hace posible una buena convivencia. Por el contrario, la continua exhortación de amarse y entenderse más los unos a los otros, genera más agresividad o un repliegue interno. Sería mucho más útil un análisis objetivo de por qué es tan difícil la convivencia. Un análisis de esta naturaleza seguramente daría por resultado que la relación entre cercanía y distancia no está equilibrada.

2. Transgresión de los límites
De abusos y acaparamientos

Respetar lo otro

La antigua historia de Lot y Abraham también es instructiva para nosotros, actuales, en su continuación y en otro aspecto: Lot se había establecido en Sodoma. Sodoma y Gomorra son ciudades en las que reina un espíritu maligno. Dos ángeles de Dios visitan a Lot en la ciudad de Sodoma para verificar si las personas allí son realmente tan malas. Lot los acoge amablemente en su hogar. "Pero antes que se acostasen, rodearon la casa los hombres de la ciudad, los varones de Sodoma, todo el pueblo junto, desde el más joven hasta el más viejo. Y llamaron a Lot, y le dijeron: ¿Dónde están los varones que vinieron a ti esta noche? Sácalos, para que los conozcamos". (Gn 19,4 y sig.) Lot trata de impedir esta maldad de los hombres. Pero ellos lo sorprenden y se disponen a abrir con violencia la puerta. Sin embargo, ambos ángeles hieren a los hombres con la ceguera, de manera que no hallarán la entrada.

Los hombres de Sodoma claramente violan aquí los límites de otras personas. Ellos quieren tener contacto sexual con los hombres extranjeros y de ese modo lesionan su derecho de hospitalidad, que en la antigüedad era por igual sagrado para judíos y griegos. Ellos no respetan los límites que el derecho a la hospitalidad ha trazado en torno a cada extranjero. El extranjero era inviolable. En el extranjero venía hacia uno algo numinoso, algo divino. En nuestro relato, son ángeles los que llegan a Lot en ambos hombres. Pero los hombres de Sodoma quieren utilizarlos para sí. Ellos no tienen sensibilidad para con el extranjero al que no tenían acceso. Ellos desean satisfacer su avidez. Aquí se trata de una violación extrema de los límites. Tal explotación es, a menudo, más sutil. En este caso simplemente se adueñan de los extranjeros. Sólo si se comportan como nosotros serán aceptados. Pero lo extraño, lo inexplicable, lo numinoso que está más allá de nosotros, no es respetado. Durante el "Tercer *Reich*" la "camaradería" era una forma astuta de acaparar a la gente y robarle su individualidad.

En la actualidad, continuamente leemos en los medios acerca de transgresores de límites similares. Existen personas que no respetan la dignidad del niño, sino que lo explotan sexualmente. Su avidez las enceguece frente a la dignidad del niño. También el hombre que viola a una mujer perdió toda noción de los límites. Pero no existen sólo casos extremos de violación y abuso sexual. Existen muchas maneras más sutiles de transgresión de los límites, por ejemplo cuando alguien se nos acerca demasiado en una conversación. Cada uno percibe sus límites, pero el transgresor los excede. Él parte únicamente de sí mismo y de su necesidad. Es incapaz de ubicarse en la necesidad del otro. Existen hombres que tienen que toquetear a todas las mujeres y que, al pedirles explicaciones, dicen que simplemente no son tan pudorosos como es habitual en nuestra sociedad, y que sólo desean ser afectuosos y regalar cercanía en forma desinteresada. Pero detrás de estos fundamentos se esconden sólo intenciones egoístas y necesidades propias no reconocidas.

En la conversación terapéutica o de ayuda espiritual notamos, como ya dijéramos al comienzo, cómo a veces los pacientes transgreden sus límites en esta situación tan particular. Después de haber contado acerca de sí mismos, cambian de pronto su papel y se creen terapeutas. Entonces, plenos de compasión, constatan repentinamente que al terapeuta se lo ve mal ese día y le preguntan acerca de sus preocupaciones. Éste necesita la distancia terapéutica para poder ayudar al paciente. Aunque algunos pacientes no desean reconocer este límite.

Con el pretexto del asistente

Naturalmente, también existe el riesgo de que el terapeuta o el asistente espiritual lesionen los límites. Siempre está dado cuando ellos se identifican con una imagen arquetípica. C. G. Jung denomina *inflación* a esta identificación. Uno se jacta y se ciega frente a los límites del otro. Si, por ejemplo, durante el asesoramiento, una mujer se queja de que no tiene a nadie que la abrace, sería terrible que el asistente espiritual se identificara con el arquetipo del auxiliador. Con el pretexto del auxiliador, él abrazaría a la mujer y no notaría que está actuando su propia necesidad de cercanía tierna. Esto no significa que no debamos mostrar cercanía cuando es adecuado. Pero es necesaria una sensibilidad fina para detectar qué le hace bien al otro. Quien se identifique con la imagen del auxiliador, perderá la percepción del otro; estará presionado por su imagen interior a sobrecargar al otro con su cercanía. No está consciente de sus propias necesidades. Cree que estaría abrazando al otro porque lo necesita, cuando en realidad, lo necesita él mismo. Pero no reconoce sus propias necesidades. Todo terapeuta y toda asistente espiritual tienen necesidades de cercanía. El arte y la disciplina del acompañamiento consisten en concientizar estas necesidades y, al mismo tiempo, distanciarse de ellas.

Igualmente peligroso en el acompañamiento es el arquetipo del sanador. Del acompañamiento debe partir sanación; en efecto, muchas veces también se produce una verdadera sanación. Pero si el acompañante se identifica con el arquetipo del sanador, se excede. Ignora los propios límites. Atrae a las personas enfermas y lo adjudica a su carisma sanador. Cierta mujer contó que un sacerdote le había dicho que podía curarla de su herida de abuso sexual. Ella debería concurrir cada cuatro semanas a la confesión. Sucedía entonces que durante la confesión, él la abrazaba estrechamente durante una hora. La mujer estaba confundida, pero pensaba que la intención del sacerdote era buena. Se trataba de un sacerdote conocido y querido. Quizá ella misma estuviera algo reprimida. Al contarlo, veinte años después, le volvía a sentir el olor asqueroso de su transpiración. Recién mucho después comprendió que el sacerdote vivió en ella su propia necesidad de cercanía.

Siempre existen asistentes espirituales que atraen especialmente a las personas depresivas. Cuando escuchan que una mujer recibe acompañamiento terapéutico hace tiempo sin lograr solución, surge en ellos el arquetipo del sanador. Ellos desarrollan su ambición de poder ayudar a esta mujer depresiva. Al comienzo, la mujer mejora porque se entrega mucho más abiertamente al asistente espiritual. Sin embargo, en algún momento también éste llega a sus límites. Y luego, en más de una oportunidad aleja duramente a la mujer depresiva. La herida provocada a través de este rechazo es más profunda que el efecto sanador de los primeros diálogos. Un asistente espiritual debería tener en claro, entonces, si puede animarse justificadamente a ayudar a esa persona. El límite es, naturalmente, fluctuante. Necesita una fina percepción para reconocer en sí mismo este límite. Sólo si nosotros mismos desarrollamos esta sensibilidad, mantendremos también los límites del otro. Quizá podamos mostrarle al otro verdaderamente una cercanía y una comprensión que pueda sanarlos. Pero siempre es un regalo si se produce la sanación. No podemos *hacerla*. El terapeuta y el asistente espiritual no son los salvadores para aquellos a quienes acompañan.

Experiencias de abuso

Una y otra vez acuden al acompañamiento mujeres que han sido sexualmente abusadas por un terapeuta. Muchas veces, estas mujeres querían elaborar a través de la terapia el abuso sexual que habían padecido en su infancia. Pero se topaban con un terapeuta que, al principio, les mostraba mucha comprensión y cercanía. Al sentirse comprendidas, en esa atmósfera no notaron al comienzo cómo el terapeuta traspasaba sus límites. Una terapeuta que trabaja mucho con mujeres abusadas sexualmente, contó que precisamente los terapeutas del medio esotérico transgreden a menudo el límite. Ellos hablan de la conciencia cósmica en la cual quieren darle participación al paciente. Quieren transmitirle la experiencia de ser uno. Pero detrás de estas ideas a veces se oculta la propia inmadurez y necesidad. Tales terapeutas utilizan la herida de sus pacientes para sus propias necesidades. Y exaltan su inmadurez al envolverla en una teoría filosófica del ser uno cósmico. Tal exceso ideológico enceguece frente a la verdad y es peligroso para los afectados.

Los terapeutas que hablan con sus pacientes acerca del ser uno no tienen remordimientos en la transgresión de sus límites. Ellos creen que le hacen un favor a su paciente si le dan participación en su experiencia cósmica de unidad. Con esta idea de ser uno, a menudo se pierde la percepción de la personalidad individual. En última instancia, tal entusiasmo por esta unidad no es otra cosa que una regresión al estado supuestamente paradisíaco, en el que todo aún era uno. Evidentemente, con la comprensión de la personalidad del hombre desaparece también la percepción de la culpa. Sólo siente culpa quien tiene una percepción de los límites que él transgrede en la culpa. La anulación de la culpa, por cierto, no queda libre de consecuencias. Los remordimientos anidan con frecuencia en otros ámbitos del alma, y entonces la paciente ya no sabe dónde está realmente. Pierde la percepción de sí misma y a menudo cae en una profunda desesperación. Deja de tener un fundamento bajo sus pies.

No es fácil desarrollar una percepción natural de sus límites para aquellas mujeres que fueron abusadas sexualmente. Con frecuencia oscilan entre la tendencia a cerrarse frente al otro para no ser lastimadas, y la necesidad de abrirse. A veces ofrecen cierta franqueza que el acompañante comprende como una invitación al abuso. Tanto más importante es, entonces, que el terapeuta o asistente espiritual desarrolle una clara percepción de los propios límites y de los límites de la paciente. Al establecer sus límites y al mismo tiempo mostrar distancia, permite que también la paciente aprenda una relación saludable entre la cercanía y la distancia.

Una mujer violada durante su juventud se ha sensibilizado por esta causa frente a las personas que exceden sus límites. Cuando pasea con su pequeño hijo por el parque, hay un hombre mayor que llama a los niños, les regala chocolate y los acaricia. Ella tiene la sensación de que es "pegajoso". No es la amabilidad de un hombre anciano y clemente. Ella percibe algo en él que se extralimita. No es una forma madura de amabilidad desinteresada. Quizá el anciano ejerza en los niños su propia necesidad. Algo así siempre es un peligro. Los maestros o los sacerdotes siempre corren el riesgo de satisfacer detrás de la fachada de la amabilidad y la dedicación, sus propias necesidades en el trato de los alumnos y alumnas, de los y las ministrantes. A veces es absolutamente hermoso para los niños cuando los maestros o los sacerdotes no conocen límites. Se trepan sobre ellos, pero en algún momento sienten que algo no está bien. El hombre sin límites también invita a los niños a olvidar sus propios límites. En algún momento se llegará entonces a abusos y lesiones profundas.

El otro: un ángel

La historia bíblica relatada al comienzo habla de ángeles que estaban de visita en la casa de Lot. Se trata de una imagen muy impresionante que busca protegernos frente a la lesión de los límites, ya que hace referencia a que la otra persona es siempre un ángel. En él algo viene hacia mí que está sustraído a mi intervención, algo sagrado, tierno, que debo respetar como a un ángel, es decir, como a un mensajero de Dios. En la otra persona reluce algo divino. Si yo lo respeto, puedo disfrutar de ello. Si no lo hago, estaré ciego frente a mis propias necesidades. En el relato bíblico los ángeles castigan a los habitantes de Sodoma con la ceguera. También ésta es una imagen certera: Dios hace que sobre las ciudades de Sodoma y Gomorra llueva azufre y fuego. Quien abusa sexualmente de un niño, no sólo lastima al niño muy profundamente, sino que también se condena a sí mismo. En el lenguaje de la Biblia: se vuelve ciego y finalmente se prepara a sí mismo la ruina.

3. El límite es sagrado
Del ámbito respetado y protegido

Bajo la protección de la divinidad

Los límites siempre fueron sagrados para los hombres. El límite separa y protege, y asigna los sectores de la tierra a las personas. Sólo la correcta división de la tierra permite una convivencia pacífica de los pueblos. En la historia y en la concepción de los israelitas comprobamos lo mismo: el mismo Dios estableció los límites para el pueblo de Israel. Pero también eran sagrados los límites entre los hombres del pueblo de Israel. El libro de los Proverbios advierte una y otra vez no traspasar los linderos (Prov 22,28 y 23,10). Y en el libro del Deuteronomio Dios ordena a los israelitas: "No reducirás los límites de la propiedad de tu prójimo" (Dt 19,14). El pueblo de Israel no estaba solo con esta comprensión del límite, sino que adoptó la opinión general de la antigüedad.

Los límites se encuentran bajo la especial protección de la divinidad en todas las culturas. Esto no sólo se aplica para los límites de países, sino también para la delimitación de los campos y para los límites que deben respetarse en la construcción de casas. Ya los griegos conocían disposiciones claras sobre las distancias limítrofes que era necesario respetar en la construcción de una casa, al plantar olivos, al cavar un pozo e inclusive al ubicar una colmena. Los romanos no sólo ampliaron las disposiciones legales para los límites. Para ellos, los límites tenían un carácter sagrado, y todos los años celebraban la fiesta de las Terminalia. *Termini* eran los mojones, honrados como seres divinos. Nuestro concepto *"Termin"* ("cita") deriva de este vocablo romano. Cuando convenimos una cita con otro, colocamos simultáneamente un mojón al cual ambos debemos atenernos y respetar.

Los romanos tenían diversas denominaciones para el límite. Límite expresa *finis*, que a su vez expresa "fin". En el límite termina el ámbito de poder del rey y el derecho de uso del vecino. Y el límite me recuerda el fin de mis propias capacidades y posibilidades. Otro vocablo latino de límite es *limes*. El *limes* es el resultado de la delimitación a través de la medición *(limitatio)*. Existen numerosos escritos antiguos sobre la medición de los campos y los solares. El límite me indica qué fue señalado para mí, cuál es mi medida, mi "límite". El derecho romano daba gran valor al respeto de los límites y que a cada uno se le asignara lo que le correspondía. El derecho protege el límite y, consecuentemente, al hombre.

Protección para el alma

El respeto del límite exterior también es importante para el alma humana. Para que el hombre no se desintegre interiormente, sino que conserve su identidad, necesita la protección de los límites. Tomamos conciencia de ello a través del relato de una mujer. Ella había comprado una pequeña casa. Un hombre rico había adquirido toda la propiedad alrededor de su casa. Él atormentaba a la mujer a través de la continua transgresión de los límites. En el acceso a la casa descargó sus materiales de construcción. Con sus vehículos obstruyó el acceso. Tampoco las leyes de la comunidad lo detuvieron en la transgresión de los límites. Para la mujer no se trataba de una simple transgresión exterior. Ella ya no se sentía segura, y sí acosada por todos lados. El vecino no respetaba ni sus límites exteriores ni los interiores.

Un hombre cuenta cuánta inseguridad interior le provocó que irrumpieran en su casa. No era tanto el daño material sino mucho más la sensación de que alguien había lesionado profundamente su propio límite. Él ya no se sentía seguro en su casa. La transgresión del límite por parte del ladrón fue para él como un sacrilegio que llenaba los ambientes de su casa. No se trataba únicamente de los límites exteriores de su casa que fueron violados a través del robo. Fue un ataque a su persona.

El límite nos protege. Esto no se aplica únicamente para el límite exterior de nuestra propiedad, sino también para el límite de nuestra alma. Existen personas que no perciben nuestros límites. Instintivamente tratamos de resistirnos en un caso de esta naturaleza: usted nos resulta desagradable y tratamos de evitarlo. Usted no respeta nuestro límite de tiempo. Si acordamos una reunión en determinado horario, usted llega mucho más tarde, no por haberse demorado en el tránsito, sino porque no toma con seriedad el tiempo. Hemos limitado la duración de la reunión. Pero usted continúa hablando y no llega nunca al final. Otros llaman a la noche a horas tardías y no se dan cuenta de que no queremos que nos molesten a esa hora. Existen personas que llaman por teléfono a las dos de la madrugada y creen que uno podría escuchar su problema a esa hora. Muchos han perdido actualmente la percepción de los límites naturales. Entonces anhelamos la inviolabilidad del límite, tal como la celebraban los romanos en la fiesta de las Terminalia. El límite es un tabú que no debe traspasarse. Para que el hombre pueda hallarse a sí mismo y sea salvo e íntegro, necesita la inviolabilidad de su límite. Es un requisito importante para la bienaventuranza y la sanación del hombre. La observancia del límite forma parte de la cultura del tratamiento humano. Quien se ensancha continuamente a costa del vecino, lo lastima y se burla de él. Pero el transgresor de los límites, en última instancia, se aísla de la comunidad humana a través de su propia conducta, dado que no queremos tener relación alguna con personas que no honran los límites. Surge así un círculo vicioso. Como uno se siente solo, lesiona el límite del otro para obligarlo a su cercanía. Pero de esa manera se aísla él mismo y se torna incapaz de un verdadero encuentro y una relación. Se aísla cada vez más.

En los cursos se ofrece un buen ejercicio para reconocer el propio límite y el límite del otro. Dos participantes se colocan en el ambiente bien separados entre sí. Uno se queda quieto; el otro se dirige lentamente hacia el primero. Quien está quieto dice "stop" cuando siente que más cercanía transgrediría su límite. Cada uno reacciona de manera diferente en esta situación. Lo que para uno es agradable, para el otro ya es desagradable. Cada uno tiene una percepción de su límite absolutamente personal. Muchos tienen una sensación física del punto donde está el límite. Pero también debemos aprender a preservar nuestro límite y señalizarlo frente a los demás. El otro no puede conocerlo por sí solo. Debemos decirle dónde está nuestro límite o dejarlo en claro a través de nuestra conducta. Cada uno es responsable de su propio límite.

Un ámbito sagrado

El hecho de que el límite fuera algo sagrado para los romanos y los griegos ya puede reconocerse a partir de la etimología de la palabra. El vocablo latino correspondiente a "sagrado" es *sanctus*. Deriva de *sancire*, que significa "delimitar, apartar". Lo sagrado es lo claramente delimitado. Los griegos hablan de "temenos", del "área sagrada", que fue delimitada del paisaje. Lo sagrado –según podemos reconocer ya en el significado de la palabra– no es accesible a todos. Sólo es posible ingresar a él con determinadas condiciones. Por lo general, sólo el sacerdote tiene acceso a lo sagrado. Él solo puede traspasar el límite más allá del ámbito profano. Lo sagrado es también lo que está sustraído del mundo, sobre lo cual este último ya no tiene poder. Los griegos peregrinaron al santuario de Delfos y allí durmieron en el sector sagrado, en el templo. Por dormir en el templo, ellos esperaban sueños sanadores. Es, por lo tanto, un beneficio para el hombre sumergirse en el espacio sagrado al cual no tiene acceso el mundo con su ruido, sus parámetros y sus expectativas. Para los griegos, sólo lo sagrado puede sanar. Sin embargo, si lo sagrado no tiene límites claros, corre el peligro de disolverse.

Puedo ingresar a un ámbito sagrado exterior para protegerme de la intervención del mundo. Pero también en mí existe un ámbito sagrado al cual no tienen acceso las personas con sus expectativas y pretensiones. Debo proteger este ámbito interior. A veces es un sueño el que nos muestra que no nos hemos protegido lo suficiente. Una mujer contaba un sueño reiterado en el que había extraños en su dormitorio. Durante la conversación quedó en claro que ella se preocupaba tanto por los demás que ni siquiera podía proteger de ellos su ámbito privado del dormitorio. Las demás personas tenían acceso a todos los ámbitos de su alma. El sueño era entonces una advertencia para delimitar mejor su ámbito sagrado más íntimo.

También en los relatos antiguos, en leyendas y en cuentos encontramos este mensaje de la inviolabilidad del límite: la leyenda de San Egidio cuenta, por ejemplo, que los animales huían hacia él cuando el rey salía de caza. Con él estaban protegidos. En torno del santo existía un coto de protección, al cual no podía acceder ningún cazador. Los cazadores quedaban detenidos, como aferrados a las raíces, y tampoco sus perros de caza podían traspasar este límite. El rey presintió que allí sucedía algo inexplicable, y pidió ayuda al obispo. Cuando ambos se aproximaron al territorio del santo y los perros de caza nuevamente debieron dar la vuelta, un cazador lanzó una flecha hacia el matorral e hirió al santo. Sin embargo, éste no necesitó un remedio terrenal para la herida, como el que le ofreciera el rey. A través de esta herida, él quiso recordar a Dios durante toda su vida. Si bien la flecha penetró el ámbito sagrado en el cual vivía Egidio, no llegó al santuario interior del eremita, que permaneció intacto. El ámbito emocional en nosotros se lesiona a través de las agresiones de los demás, pero el espacio más íntimo en nosotros, en el que vive Dios, está protegido contra cualquier herida.

El mensaje de los cuentos

En el cuento "La doncella sin manos", la hija religiosa del molinero traza un círculo con tiza a su alrededor. Previamente se lava. Crea, por lo tanto, un círculo puro del cual queda desterrado todo lo oscuro y malo. El diablo, a quien su padre había prometido su hija, no puede superar este círculo protector.

También en la actualidad podemos reflexionar acerca de lo que relata este cuento a través de las imágenes. Allí, donde lo puro y claro traza un círculo en torno del hombre, no puede penetrar lo malo, no pueden penetrar las emociones negativas. La imagen de la fuerza sanadora del agua es especialmente sugestiva en este contexto. Cuando el diablo le ordena al molinero alejar toda el agua para que la hija no pueda continuar lavándose y limpiándose, ella llora sobre sus manos. Y las manos limpias impiden que se acerque el diablo. El mensaje profundo del cuento es también para nosotros: Si protegemos el ámbito interior en nosotros, que es íntegro y puro, lo negativo no tendrá poder sobre nosotros. Pero muchas personas no pueden delimitarse de esto negativo que está a su alrededor. Absorben todos los estados depresivos y agresivos de su entorno y no pueden defenderse contra las emociones que se abalanzan sobre ellas. Este cuento trata de decirles a estas personas: "Traza un círculo claramente marcado a tu alrededor para determinar tu ámbito de protección interior, para permanecer protegido frente a lo malo".

El cuento de Jorinde y Joringel también relata acerca de tal ámbito de protección. Pero es el espacio de una maga. La anciana mujer vive en un castillo. Quien se aproxima a cien pasos de este castillo debe detenerse y no puede moverse del lugar hasta que ella lo libera. Y si una doncella accede a este círculo, la maga la transformará en un pájaro. Es lo que sucede con Jorinde, la novia de Joringel. Ambos se acercan demasiado al castillo. Jorinde se transforma en un ruiseñor. Joringel ya no puede moverse. La maga libera al joven mediante una fórmula mágica. Pero debe retirarse de allí sin su novia, y cuida las ovejas de un campesino. En este tiempo, un sueño le muestra cómo liberar a Jorinde y disolver el hechizo de la maga. Él debe buscar una flor color rojo sangre, en cuyo interior haya una gran perla. La encuentra y con ella puede penetrar el círculo mágico. Joringel salva a su novia y a todas las demás doncellas que fueron transformadas en pájaros. A través de esta flor la maga pierde su poder.

El cuento indica que, evidentemente, existen límites que no debemos traspasar sin padecer daños. Joringel debe buscar una flor color rojo sangre con una perla. Esto significa que debe atravesar previamente el dolor, y sólo entonces será capaz de un amor maduro en el cual sea uno con su novia. Mientras están enamorados, ambos descuidan sus límites. Quien vive en el anhelo de fusión –según dice el cuento– cae en el ámbito de poder de la maga. La maga representa los aspectos reprimidos de la mujer. La no observancia de los propios límites conduce a una relación simbiótica. En ella, el hombre no tiene verdadero acceso a la mujer. Se petrifica. Y la mujer se aleja volando como un ruiseñor. La especialista en psicología profunda Verena Kast interpretó de manera sutil este cuento: Ella considera que Joringel elevó a su mujer a ruiseñor. Del canto del ruiseñor se dice que "es tan lacrimoso, tan triste, tan lleno de nostalgia, pero al mismo tiempo tan seductoramente atractivo, y, sin embargo, permanece inalcanzable". En la simbiosis la mujer se torna sobrehumana, pero simultáneamente también, no humana, inalcanzable".

A través de unas palabras mágicas Joringel vuelve a estar libre. Evidentemente, la maga no tiene mucho interés en él. Él debe llevar a cabo sus propios pasos de desarrollo para ser capaz de una relación madura con su novia. El primer paso es cuidar las ovejas. "Cuidar significa mantener algo unido; en realidad, los héroes de los cuentos se cuidan a sí mismos, reúnen sus fuerzas vitales". Luego, lo ayuda un sueño que le muestra el camino hacia su mujer. Verena Kast considera la flor color rojo sangre con la perla blanca como un símbolo de la "unión del amor físico y místico". La perla es, al mismo tiempo, una imagen del centrado. Joringel descubrió su propio ser y ahora es capaz de un amor que toma en serio a la mujer concreta con su cuerpo, y que a la vez reconoce en el amor a ella algo de la trascendencia. Ya no es un amor que retiene, sino que en el encuentro con la mujer conmueve otra cosa, sustraída al propio acceso. La experiencia de trascendencia en el amor a la mujer concreta, que es vista en su limitación humana, libera a Joringel de sus necesidades simbióticas. Ya que ahora no experimenta la simbiosis con su mujer sino, en última instancia, la simbiosis en la trascendencia. Y ésta, evidentemente, no lo daña, sino que le permite un amor maduro hacia la mujer concreta.

El cuento de la bella durmiente

Un motivo similar del límite aparece en el cuento "La bella durmiente". La joven es maldecida por un hada para que a los 15 años se pinchara con un huso y muriera a causa de ello. Otra mujer sólo puede aliviar esta maldición al convertir la muerte en un sueño durante cien años. A pesar de todos los cuidados de los padres de eliminar todos los husos, la niña encuentra su destino. No sólo ella se duerme, también todo el castillo, los padres, los empleados, inclusive los animales. En torno al castillo crece un cerco de espinas. Una y otra vez los príncipes tratan de cruzar el cerco para liberar a la bella durmiente, de la que se contaba que era la mujer más hermosa que uno pudiera imaginar. Pero los pretendientes perecen lastimosamente en el cerco. Recién después de cien años, un joven hombre valiente que quiso cruzar el límite, lo logró. Las espinas se convierten en hermosas flores que le permiten ingresar.

También aquí se trata de un límite. La niña encontró su sexualidad a los 15 años. Con ella se lastimó. Todavía no es capaz de tratarla. Esto lleva a que necesite un cerco de espinas a su alrededor. Por un lado, desea la relación con el hombre. Por el otro, se resiste a ella. Ella siente temor de pincharse nuevamente. Por eso prefiere pinchar a los que la cortejan. Algunas jóvenes crean en torno a sí mismas un cerco de espinas que precisamente atrae a los hombres. Pero ni bien un hombre se acerca demasiado, ellas se retraen detrás de un muro impenetrable.

El cerco de espinas simboliza también un límite temporal. La niña todavía no está madura a los 15 años para manejar correctamente el huso. Debe dormir durante cien años antes de estar madura para el amor. Cien es la imagen de la totalidad. La bella durmiente debe ser previamente ella misma en su totalidad, antes de que un pretendiente pueda acercársele. El límite del cerco de espinas le garantiza su ámbito de protección para la madurez. Después de cien años, las espinas se transforman en flores. Ahora invitan al pretendiente a acercarse a la bella durmiente.

En nuestra vida nos sucede una y otra vez: existen también límites temporales que debemos respetar. Quisiéramos conseguir algo por la fuerza, pero no es posible. Debemos esperar hasta el momento adecuado. Lo mismo se aplica para el amor entre el hombre y la mujer. Pero también se aplica para pasos importantes en nuestra vida. A veces debemos esperar hasta que madure el tiempo para una decisión. En esta situación se trata de conservar el límite temporal. De lo contrario, permaneceremos –con palabras del cuento– atrapados en las espinas y nos lastimaremos a nosotros mismos con nuestras cavilaciones o con nuestros intentos violentos de forzar una decisión.

4. Vivimos dentro de límites establecidos
De la altanería y la humildad

Un ser del límite

El libro de Job relata una historia de la humanidad que conmovió a los hombres de todos los tiempos. Job debió experimentar en su pena, cuánto puede doler que Dios le imponga límites fijos al hombre. Entonces se lamenta frente a Dios: "Ciertamente sus días están determinados, y el número de sus meses está cerca de ti; le pusiste límites, de los cuales no pasará. Si tú lo abandonares, él dejará de ser; entre tanto deseará, como el jornalero, su día" (Job 14,5 y sig.). Job experimenta la limitación de su vida. Él había acumulado una gran fortuna y una familia sana. Ahora todo le fue quitado. Él cree que Dios le ha colocado sus límites a toda persona; el límite de cuánto tiempo conservar la vida, el límite de cuánta fuerza hay en él, y lo que puede lograr con ella.

La filosofía nos dice que el hombre es un ser del límite. "Está instalado en determinadas situaciones, es decir, situaciones también histórica, cultural y socialmente limitadas, que conforman el marco para su existencia". Así lo formuló cierta vez Heinrich Fries. El horizonte bajo el que vivimos está limitado; también nuestra existencia histórica. Sólo hemos vivenciado estos padres, este lugar y esta tierra en la que crecimos. Tampoco nuestras capacidades son ilimitadas, aunque ansiamos lo infinito. Pero aprendemos que no podemos todo lo que queremos. Nuestros deseos y anhelos van más allá de los límites estrechos entre los que nos colocó Dios. Y lo que logramos siempre es sólo una obra imperfecta. No podemos borrar nuestros límites. Quisiéramos vivir, en lo posible, muchos años. Pero, según Fries, "a esta vida se le fijan límites a través de la desgracia, las catástrofes naturales, las amenazas por parte de los hombres, los sufrimientos y la enfermedad del cuerpo y del alma". Una descripción de esta naturaleza no es, por cierto, sólo negativa: también en nuestros límites llegamos a saber quiénes somos. Las experiencias de los límites que nos llevan al límite de nuestra resistencia pueden amenazarnos, pero al mismo tiempo son una oportunidad para el crecimiento personal. Nos invitan a desarrollar nuevas posibilidades de vida. La filosofía existencial ha descripto tales experiencias de límites como un desafío para comportarse de otra manera frente a la propia existencia. Las experiencias de los límites me obligan a preguntarme más allá de mí y de mis posibilidades. Finalmente, me remiten a Dios.

Para Job es el mismo Dios quien colocó límites a nuestra vida. Su historia enseña: es humildad decir sí a los límites que Dios me ha determinado. En todo lo que hago experimento este límite. Si escribo, no siempre resulta como lo imaginé en mi fantasía. Si organizo algo en la administración, siempre queda un resto sin resolver. En mis ilusiones no tengo límites. Pero ni bien deseo cristalizar mis ideas choco contra los límites. Puedo rebelarme contra estos límites, pero sólo me golpearé la cabeza. El cortometraje "El muro" muestra en imágenes esta experiencia. Allí se muestran dos hombres frente a un muro. Uno de ellos acepta el muro. El otro marcha continuamente contra él. Finalmente, hace un agujero en el muro con su cabeza. Pero este triunfo lo paga con la muerte. El otro atraviesa el agujero libre. Pero ni bien traspasó el muro, de inmediato aparece uno nuevo frente a él. Evidentemente, existen muchos muros, muchos límites que nos estrechan. La cuestión es cómo nos comportamos nosotros frente a nuestros límites. Atravesar la pared con la cabeza es, evidentemente, problemático. La consecuencia puede ser que paguemos eso con la vida –en el sentido metafórico o literal. O podemos aceptar los límites y manejarnos creativamente frente a ellos. Otra posibilidad sería reprimir los límites y simplemente existir. Pero tampoco esto es una buena alternativa, ya que entonces mi vida se torna aburrida y carente de sentido. Debo enfrentar los límites y restregarme contra ellos. A menudo resulta doloroso. Pero también genera una tensión saludable: la tensión entre la aceptación de los límites y el desplazarlos y pasar por encima de ellos.

El camino espiritual se maneja de otro modo con los límites que Dios nos ha establecido. Reconozco mis límites y los entiendo como signos de mi creaturidad y finitud. Para San Benito, es un signo de humildad asumir y aceptar su finitud y limitación. En su capítulo sobre la humildad, Benito describe al monje que enfrenta su limitación, aunque le resulta difícil: "Él soporta todo sin cansarse y sin escapar de ello; el texto dice: 'Quien se mantiene constante hasta el final, será salvado'. Del mismo modo: 'Sea fuerte tu corazón y soporte al Señor'" (RB 7,36 y sig.). La firmeza es la virtud exigida al monje cuando se siente acorralado por la comunidad, por el abad y por Dios. Al mantenerse firme, crece en los límites. Y permite que los límites lo remitan a su Dios sin límites. Dios está más allá del límite. Él nos permite reconciliarnos con nuestros límites.

Límites de tiempo

Un límite que todos experimentamos actualmente con dolor es el tiempo. Nuestro tiempo es limitado. De niños, podíamos jugar sin someternos al tiempo. No prestábamos atención a la hora. En la actualidad existen citas constantes: "hitos fronterizos" de nuestras posibilidades y obligaciones. El tiempo que tenemos a disposición para el trabajo, para el encuentro, para la lectura, para el juego, está limitado. El ritmo biológico del tiempo nos impone límites naturales. Nos cansamos y llegamos a nuestro límite individual del rendimiento. Algunos quieren engañar al tiempo, apretujando cada vez más, y finalmente demasiado en un lapso determinado de tiempo. Cada minuto debe ser aprovechado. Pero al vivir así, en algún momento seremos incapaces de percibir el tiempo y disfrutar de él.

Todos vivenciamos un límite doloroso del tiempo al envejecer. Entonces notamos que algunas cosas ya no funcionan como antes. Muchos pasan por alto sus límites de tiempo. Creen que pueden continuar como hasta ahora. Pero la desatención de sus límites de tiempo se anuncia con frecuencia a través de un colapso físico. En la jubilación, denominada estado pasivo, se nos imponen límites desde afuera, por así decir, a través de un convenio social. Algunos experimentan este cambio de manera positiva y se alegran de la libertad que se les ofrece. Para otros, se trata de un momento crucial y un límite doloroso. Les cuesta aceptar no ser ya consultados en las decisiones, estar sin la agenda que documenta su importancia. De un día para el otro cambia su vida. Manejarse bien con el límite de tiempo de la jubilación es un arte que debe ser aprendido. Precisamente hoy, que la gente llega a edades más avanzadas, sería una importante tarea espiritual aprender este arte.

Límites del crecimiento

La sociedad vive actualmente con dolor la despedida de la idea de un crecimiento ilimitado. Los científicos del *Club de Roma* ya nos llamaron la atención hace décadas acerca de los "límites del crecimiento". En 1972 se publicó su famoso "Informe sobre la situación de la humanidad", que lo ha pronosticado. Desde entonces, se ha quebrado la ideología del crecimiento ilimitado. Tampoco la economía puede continuar creciendo continuamente. Todo, tanto la producción como el consumo, choca contra su límite. Los hombres no pueden comer y beber según su voluntad. Las empresas no pueden producir siempre sólo para almacenar existencias. Los mercados están limitados. Tampoco en el ámbito de la administración es posible eludir esta verdad básica, la de que todo hombre choca contra los límites, aunque nuestros deseos y anhelos vayan más allá de ellos. Nuestro anhelo desemboca en una ideología eufórica de crecimiento, que luego es alcanzada por la realidad, o no se fija sólo a los objetivos puramente materiales. En última instancia, nuestro anhelo más profundo sólo se cumple cuando lo orientamos por encima de los límites humanos hacia Dios, que está más allá de todo límite.

Auténtica sabiduría

Muchos hombres, al igual que Job, chocan dolorosa y existencialmente contra sus límites. Ellos tienen sus propios conceptos de la vida y no quieren aceptar que les son impuestos límites. Por ejemplo, a uno se le ocurrió que indefectiblemente debería estudiar matemática. Si no lo logra, no puede admitir su fracaso. Algunos quieren lograr con toda la fuerza un objetivo fijado por ellos mismos. A menudo se sobreexigen y luego reaccionan con una enfermedad. Se necesita humildad para reconocer los propios límites. Lo contrario de la humildad es la altanería. En ella me identifico con imágenes inmensas, acaso la imagen de un héroe que no le teme a nada, con la imagen del sanador que puede curar cualquier enfermedad, con la imagen del auxiliador que puede ayudar a todos, o con la imagen del cerebro que puede todo lo que quiere. El mito griego nos cuenta en muchas imágenes cómo le va al hombre que no quiere reconocer sus límites. Prometeo es la imagen del hombre que pasa por alto sus límites. Él le roba el fuego a los dioses. Toma algo que no le corresponde al hombre. Como castigo es encadenado a una roca en el Cáucaso. Un águila devora diariamente su hígado, que luego vuelve siempre a crecer. El águila recuerda gráficamente las fantasías de grandeza que lo llevaron a él a su acción, y le señala dolorosamente sus límites.

Al igual que Job, podemos refregarnos contra los límites que Dios nos ha establecido. Podemos probar si es posible traspasar algo el límite. Quizá lo vimos demasiado estrecho. Pero pertenece a la sabiduría del hombre reconocer que Dios nos ha colocado límites que no podemos traspasar: el límite de nuestras capacidades, el límite de nuestro cuerpo y de nuestro espíritu, y finalmente también, el límite de nuestra vida. Podemos postergar el fin de nuestra vida a través de esfuerzos de la medicina, pero de todas maneras, llegará. Y vivir en presencia de este fin en vez de negarse la propia limitación, es auténtica sabiduría.

5. Es menester conocer los límites
De las reglas claras y el necesario roce

Protección contra la sobreexigencia

El Eclesiastés fue un maestro de la sabiduría que vinculó la sabiduría de los judíos y de los griegos. Observó a los hombres en su comportamiento y debió reconocer que: "El hombre no conoce su límite" (Ecl 9,12). Lo que el maestro de la sabiduría expresa de manera muy general sobre el hombre, se aplica en la actualidad principalmente para los niños. Muchos padres tienen hoy en día problemas para colocarles límites a sus hijos. Por esta razón, muchos niños crecen sin límites. Ellos no saben dónde está el límite que no deben traspasar. El pedagogo hamburgués Jan-Uwe Rogge invitó a los padres –con mucho humor pero también con energía– en su libro *Kinder brauchen Grenzen* (Los niños necesitan límites), a fijar límites claros a sus hijos. De lo contrario, no tienen por qué quejarse de que sus hijos les pisen la cabeza. "Fijar límites significa apreciar mutuamente la personalidad y respetarse" (Rogge).

A muchos padres les cuesta fijarles límites a sus hijos, ya que quieren lo mejor para ellos. A menudo, ellos mismos sufren porque sus padres les establecieron límites muy estrechos, que enseguida estaban relacionados con castigos y amenazas de castigos. Ellos quieren ahorrarles a sus hijos esto. Por temor a exponer a sus hijos a las mismas experiencias que ellos atravesaron, apenas les imponen límites. Pero de esa manera no se hacen un favor ni a sí mismos ni a los hijos, ya que los hijos no pueden chocar contra los límites ausentes. La fricción produce calor. Establecer límites es, por lo tanto, un signo de amor. Una educación que no establece límites no es percibida por los niños como libertad y amor, sino como indiferencia y "no estar a resguardo" (Christa Meves). Esto sobreexige a los hijos y los torna agresivos.

Consecuencia en la educación

Los niños a quienes no se les establecen límites se ven obligados a ser cada vez más llamativos para sentir, finalmente, los límites de los padres. Rogge considera que: "La firmeza establece límites. Donde faltan, reina la inseguridad, los niños comienzan a probar los límites para experimentar hasta dónde pueden llegar". Los padres que no fijan límites son tiranizados por sus hijos. En algún momento los padres "explotan". Esto torna aún más inseguros a los niños. No ofrece claridad. Los niños no se sienten tomados en serio. Algunos padres tratan de fijar límites, pero no son consecuentes en su accionar y permiten que los niños los manipulen. Los niños tienen una buena percepción acerca de cómo "manejar" a sus padres. Unos dominan a sus padres al inocularles remordimientos; otros, al amenazarlos con causarse algo o reprocharles que de todos modos no son queridos. Quien establece límites, debe ser consecuente en ellos. De lo contrario, los hijos siempre esquivarán los límites. Rogge hace especial referencia a este punto: "Quien ignora las constantes transgresiones de los límites por parte del hijo y se comporta frente a éstos de manera indiferente, no sólo contribuye a incrementar la actividad y actitudes destructivas, sino que también impide la formación de un sentimiento de autoestima, obstaculiza el sentimiento de mutuo respeto y mutua consideración".

A muchos padres les resulta difícil fijar límites porque no quieren parecer anticuados. Los hijos también saben exactamente cómo transmitir a sus padres un remordimiento. Dicen: "Todos pueden hacerlo. Todos tienen esto. Sólo ustedes son anticuados y cerrados, que no me lo permiten". Entonces son necesarias una claridad interior y una seguridad para delimitarse frente a tales intentos de manipulación. Otros padres no fijan límites porque temen la discusión. Por supuesto: quien establece límites, se expone a la crítica de los hijos, y ésta a menudo es muy dura. Los niños han experimentado suficientes estrategias en los medios acerca de cómo acosar a los padres que fijan límites. Cuando cierta vez mi hermana le puso un límite a su hijo de 13 años, él refunfuñó y le reprochó lo anticuada que era. Pero después de un par de semanas opinó que: "Al menos ustedes se preocupan por mí. Los otros padres permiten todo para tener paz". El hijo notó que el establecimiento de límites no se producía como rechazo o por mal humor, sino porque la madre lo tomaba en serio. Ella se animaba a la discusión con él porque le importaba. Él respetaba eso, aunque, naturalmente, en principio había intentado eliminar los límites al tratar de provocar remordimientos en mi hermana.

La especialista en psicología del desarrollo nos dice: Principalmente es el padre el que fija los **límites**. Pero muchos padres se resisten a esta tarea. Ellos prefieren ser los padres comprensivos y no aparecer como autoritarios. Pero si ceden a su rol de padres, los hijos no hallarán nunca su propia identidad. Ellos no saben de dónde sostenerse. Es un hecho probado que los hijos sin padre muchas veces se vuelven criminales porque nunca experimentaron dónde están sus límites, y porque nunca fueron exhortados a respetar los límites impuestos. El psiquiatra Horst Petri, quien escribió un libro sobre la "ausencia del padre", resume los resultados de los proyectos de investigación empírica y constata, ante todo en los jóvenes que no tenían padre, una "marcada tendencia a lesiones regulares, transgresiones de límites y comportamiento agresivo, que bajo las correspondientes condiciones desfavorables del entorno, en muchas oportunidades pueden desembocar en abandono y criminalidad". Según Petri, los muchachos padecen la ausencia del padre más que las chicas. El padre es importante especialmente para la formación de conciencia y para "el aprendizaje de normas sociales y estándares de conducta". Si el padre no cumple su tarea, se corre el riesgo de que los jóvenes nunca aprendan a respetar los límites. Ellos creen, entonces, que el mundo se rige en función de ellos. Con esta postura ficticia de la realidad fracasan a menudo ni bien aparecen las primeras dificultades en la vida que les señalan sus límites.

Qué desean verdaderamente los hijos

Los padres no les hacen un favor a sus hijos si únicamente son comprensivos y sólo discuten sobre su conducta llamativa. Los hijos sólo tienen palabras despreciativas frente a estas "tonterías". Ellos perciben exactamente que los padres son demasiado temerosos para animarse a discutir con ellos. Entonces dicen: "Tú me enervas". Los hijos no sólo *necesitan*, también *desean* padres que les digan claramente lo que quieren. Una vez aclarado esto, pueden luchar contra ellos. Pero a muchos padres los atemoriza esta idea. Quieren mostrar únicamente comprensión y, en última instancia, sentir la comprensión de los hijos, en lugar de tomar con seriedad su rol de padre o madre.

Jan-Uwe Rogge cuenta un ejemplo de ello. Está en la casa de una mujer que se queja acerca de su hijo que no se atiene a nada. Pero ante la pregunta, a qué debe atenerse concretamente, se evidencia que ella no impone límites claros. Ella simplemente presupone que él debería saber qué debe hacer. Luego, provoca cada vez más al hijo. Cuando la madre conversa con el pedagogo, aparece repentinamente el hijo y dice que tiene sed. Ella dice que se sirva el jugo que quiera de la heladera. Él toma el jugo de naranja. Pero luego vuelve a aparecer porque le resulta muy frío. Cuando la madre lo manda nuevamente a servirse lo que quiera, él regresa al poco tiempo llorando. Se le cayó la botella al piso y se rompió. Cuando Jan-Uwe Rogge conversa con él surge que el niño sabe con precisión cómo lograr que su madre estalle. Y realmente disfruta del ritual. Cuando su madre no sabe qué más hacer, le pega. Pero luego le da tanta pena, que en ese momento él puede obtener cualquier cosa de ella. Cuando Rogge le pregunta cuál debería ser la reacción de su madre, él opina que: "Cuando hago estupideces, debería decirlo". Y a continuación le explica al pedagogo por qué provocó en esa forma a la madre: "Quería ver hasta dónde llegaba". Y al mismo tiempo reconoce: "Contigo no puedo hacerlo, me parece que no. Pero lo intentaría". Este relato muestra claramente que los hijos anhelan que los padres les digan claramente lo que quieren. Si siempre se limitan a hablar y mostrar comprensión, esto sobreexige a los hijos. Los padres le hablan, en última instancia, a su propio yo infantil, pero no a sus hijos. Los hijos quieren límites para experimentarse en el roce con éstos y asegurarse a sus padres. Esto exige la disposición de los padres a enfrentar la discusión y, en caso de conflicto, permitir que se los designe como "anticuados" y "absolutamente tontos".

6. La limitación puede ser sanadora
De la agresión y la distancia saludables

Un rechazo saludable

También con relación a nuestro tema existen descubrimientos sorprendentes en la visión de la persona de Jesús. El evangelista Marcos nos describe a Jesús como el sanador a quien se dirigen muchos enfermos para ser sanados por él. Sin embargo, cuando una mujer griega se acerca a él y le pide que sane a su hija enferma, Jesús no se muestra muy dispuesto a ayudar (Mc 7,24-30). Por el contrario, él se limita y sostiene frente a la mujer un espejo para que observe su propia conducta. Mediante los textos bíblicos experimentamos una y otra vez que muchas mujeres están molestas por el comportamiento de Jesús. Recordemos la escena: Jesús se había retirado con sus discípulos al territorio de Tiro a fin de tener tiempo suficiente para la instrucción y no ser molestado por los disturbios políticos en Galilea. Se podría decir que él se dirigió al extranjero y se retrajo en la clausura para estar solo con sus discípulos. Sin embargo, una mujer griega llega a él y cae a sus pies. Podemos imaginarnos cómo rodeaba los pies de Jesús con sus brazos. Ella le ruega que sane a su hija poseída por el demonio. Pero Jesús pone un límite. Él no accede de inmediato a la solicitud, sino que le muestra por qué su hija ha enfermado. Él le aclara a la madre que su hija no está satisfecha porque ella estuvo demasiado preocupada por sus propias necesidades. Para algunos lectores de la Biblia, el brusco rechazo de Jesús frente al pedido de ayuda de la mujer suplicante, choca o irrita. Ellos tienen ante sí la imagen de Jesús dispuesto a ayudar en todo momento, y les resulta difícil comprender esta clara delimitación de Jesús. Ellos viven la delimitación como un rechazo. Pero el relato muestra lo contrario: precisamente a través de la delimitación se convierte en un encuentro sanador.

Madres e hijas

Cuando Jesús se delimita frente a la mujer suplicante, le permite a ella establecer un límite frente a su propia hija. La relación entre madre e hija sólo resulta si ambas pueden delimitarse bien entre sí. Naturalmente, esto no significa una delimitación absoluta. La hija necesita también a la madre para desarrollar su propia identidad como mujer a través del encuentro con su madre. Pero mientras los límites se diluyan, la hija no podrá hallar su propia identidad. La falta de claridad es como un demonio que se posa sobre ella. Ella ya no puede entenderse consigo misma. Y tampoco la madre sabe cómo tratar a la hija. Ella piensa, por su parte, que su hija está poseída por el demonio. En realidad, sólo a causa de la falta de límites se produce el conflicto entre madre e hija. La psicoterapeuta Thea Bauriedl denomina "relación sin límites" a la relación simbiótica entre la madre y la hija. Cuando la relación entre la madre y la hija no conoce límites claros, la hija no sabe dónde está parada. Ella pierde la relación con sus propios sentimientos y hace suyos los sentimientos de la madre. Ella no puede decir qué siente ella misma. Algunas hijas reaccionan frente a esta ausencia de límites cerrándose absolutamente frente a la madre. Se separan tanto de la madre que esto lastima a su madre. La madre, a su vez, se siente desamparada frente a la hija. No puede acercarse a ella. Y, sin embargo, se ocupa constantemente de ella. Thea Bauriedl habla de un vínculo doble con referencia a la relación sin límites. La hija quisiera amar a la madre, pero al mismo tiempo piensa que la madre tiene temor frente a ese amor. Entonces suprime este sentimiento. Este vínculo doble la torna incapaz frente a las relaciones claras. Ella se siente atraída por las personas, desea su amor, pero al mismo tiempo lo suprime por temor de acercarse excesivamente al otro y que los demás no deseen este amor.

Delimitación exterior e interior

Las relaciones sin límites entre la madre y la hija tienen consecuencias funestas para la hija. Una mujer había escuchado una y otra vez, como mensaje de su madre, la siguiente frase: "Si no eres buena, me moriré". La exhortación a ser buena no era sólo una exigencia moral. Estaba vinculada a una amenaza masiva. Esto produjo que, finalmente, la mujer estuviera interiormente ligada por completo a su madre. Si cometía un error, tenía miedo de herir así a su madre y provocarle la muerte.

Pero también la madre se sobreexige a través de una relación sin límites con la hija. Ya no conoce a su hija y no puede clasificar su comportamiento. Entonces intenta comprender a la hija y mostrarle más cercanía todavía. Con mucha frecuencia consiente a la hija con el fin de calmar sus propios remordimientos. Ella piensa que ha cometido un error en la educación y quiere subsanarlo ahora. Pero la confusión es cada vez mayor. Jesús le da valor a la mujer para delimitarse frente a su hija. También puede tomar con seriedad sus propias necesidades y respetar sus límites. Si puede establecer un límite frente a su hija, entonces también la hija encontrará su espacio en el que florezca y encuentre su propia identidad.

Muchas hijas padecen por el hecho de que sus madres han transgredido continuamente sus límites. Al ser niñas, no les estaba permitido cerrar con llave su cuarto. La madre leyó su diario. Ellas no tenían un ámbito propio en el cual sentirse seguras. Cuando son adultas, estas hijas siempre tienen la impresión de que su madre se entromete. También tienen problemas para delimitarse frente a las demás personas o frente a sus propios hijos. Ellas adoptan inconscientemente la incapacidad de delimitarse de su madre. Interiormente continúan sintiéndose observadas y juzgadas por la madre. Y también tienen problemas en su ámbito propio, para delimitarse frente a su familia o frente a los deseos de sus compañeras de trabajo. El impulso de Jesús es, entonces, sanador: ellas pueden ser ellas mismas y separarse de su madre. Sólo si es exitosa la separación entre la madre y la hija, podrá crecer una relación fecunda en la cual la hija también pueda reconocer las raíces positivas que le ha dado su madre. Y luego, estas mujeres también serán capaces de delimitarse en su vida frente a las expectativas externas.

No obstante, no se trata exclusivamente de una delimitación exterior. En el asesoramiento y el acompañamiento encontramos una y otra vez tales situaciones: muchas hijas están interiormente ligadas a la madre. Si bien exteriormente se han delimitado con éxito, muchas veces, inconscientemente, han adoptado el lado de sombra de la madre. La madre siempre fue exteriormente amable y servicial. Pero de su interior emanaba una negación de la vida. La hija no sabe por qué a veces se siente tan agotada, paralizada y extenuada. Recién en la terapia toma conciencia de que ella vive el lado de sombra de su madre. Generalmente es necesario mucho tiempo para delimitarse de la madre también en el inconsciente. Ya que en el inconsciente estamos influenciados por el otro, lo queramos o no. Al tomar conciencia de lo inconsciente, podremos delimitarnos lentamente de los lados de sombra de la madre. Siempre volveremos a experimentar la sombra, inclusive al delimitarnos. En una situación de relación tal, el arte consiste en reconocer en primer lugar la sombra y luego tomar distancia de ella. Si me siento extenuada, puedo decirme: "Otra vez es la sombra de mi madre. Es el estado de depresión de mi madre. La dejo en ella". Si reconozco la influencia inconsciente de la madre, podrá crecer en mí la fuerza para levantarme y tomar mi vida activamente en mis manos. Si me distancio de la sombra, tomaré contacto con la energía que también está dentro de mí.

Distancia saludable

Las mujeres cuentan con frecuencia que les resulta difícil delimitarse frente a sus madres ancianas que requieren atención. Si bien quisieran atender por sí mismas a su madre y facilitarles el ocaso de su vida, notan que van hacia ella con una resistencia interior, que se tornan agresivas cuando la madre expresa un deseo. Una mujer opinaba que: "Cuando dejo a mi madre, siempre me siento más débil, como exprimida". Ella absorbe la insatisfacción de la madre y permite que la lastime. En una situación así es necesario delimitarse. Una ayuda puede ser, por ejemplo, sentarse brevemente antes de la visita y meditar, para estar totalmente en uno mismo. Cuanto mayor sea el contacto que tenga la persona consigo misma, tanto menos podrá el otro herir su propio límite. Yo observo qué desea mi madre. No me opongo a ello, pero sólo lo noto. Luego confío en mi propia percepción respecto a qué deseos quiero responder y a cuáles no. De esta manera, será posible una relación no absorbente, libre y al mismo tiempo afectuosa con la madre, que será útil para ambas.

Otra ayuda consiste en devolver a la madre los sentimientos que uno percibe en el encuentro con ella. Por ejemplo, imagino cómo es en mi madre la insatisfacción que siento yo. Entonces crece en mí otro sentimiento. Más bien siento compasión por esta anciana que no puede aceptarse a sí misma, que está quebrada y disconforme consigo. Este ejercicio me ayuda a tratar a mi madre con mayor paciencia e indulgencia, sin sobreexigirme. No puedo evitar que durante el encuentro con otras personas emerjan en mí sentimientos negativos. Muchas veces me hago cargo de los sentimientos que están en el otro. En tanto, puedo reconocer en mis propios sentimientos cómo le va realmente al otro. Al devolverle al otro los sentimientos, tomo contacto con mis propios sentimientos. En lugar de enfrentarme a la agresión, enfrento entonces mi claridad interior; en vez de la insatisfacción, la compasión; en vez de la depresión, mi propia energía. Las emociones del otro traspasan mi propio límite durante el encuentro. Cuando lo percibo, puedo volver a delimitarme: dejo las emociones en el otro y las observo desde una distancia saludable, sin evaluarlas o juzgarlas.

7. No permitir la lesión de los propios límites
De la presión exterior y del propio centro

Totalmente consigo mismo

Quien está en su propio centro, es ciertamente inmune frente a las lesiones de sus límites. El evangelista Marcos lo describe en algunas escenas: Jesús está totalmente consigo y no permite que lo desplacen de su propio centro. No permite que los demás le prescriban las reglas de juego según las cuales debería actuar. Al contrario: es soberano. Está en contacto consigo mismo y realiza lo que desde su interior percibe como adecuado. Sus opositores querrían disponer sobre él y acapararlo. Pero no logran avanzar más allá de los límites que él les señala.

Dos escenas son especialmente interesantes en este contexto. Por un lado, la descripción en Marcos 3,1-6: Otra vez entró Jesús en la sinagoga; y había allí un hombre que tenía seca una mano. Entonces dijo al hombre que tenía la mano seca: "Levántate y ponte en medio" (Mc 3,3). Jesús habría podido simplemente escuchar y entregarse a la oración. Pero siente un impulso interior para sanar al hombre enfermo. Al mismo tiempo nota que los fariseos lo observan. Ellos buscan un motivo para acusarlo. Si él cura en *Sabbat* a un enfermo que no corre riesgo de vida, ellos tendrían un motivo para tal acusación. Jesús no se deja intimidar por los fariseos. Al contrario, les formula una pregunta muy clara y a la vez aguda:

"¿Es lícito en los días de reposo hacer bien, o hacer mal; salvar la vida, o quitarla?" (Mc 3,4). Jesús es el que actúa. Obliga a sus opositores a la reacción. Pero ellos son demasiado cobardes y no se animan a responder, ya que la pregunta que Jesús les formula revela su verdadera intención. Si ellos insisten en la observancia de los mandamientos, entonces hacen el mal en *Sabbat*, entonces destruyen la vida. Y eso no pueden admitirlo ni siquiera a sí mismos. Entonces callan. Pero Jesús no les da poder. Entonces, los mira uno a uno "con enojo, entristecido por la dureza de sus corazones" (Mc 3,5). El enojo es la fuerza para distanciarme del otro, para trazar un límite claro: "Allí estás tú y aquí yo. Tú puedes ser como eres. No te reprocho nada. Pero yo me mantengo en lo que pienso. Tú puedes tener un corazón duro y cerrado, pero es tu problema. Eso no me determinará a mí". Y Jesús hace lo que considera correcto. No les da poder a las expectativas y a la actitud de los fariseos. No permite que transgredan su límite y le prescriban con actitud rigurosa qué debe hacer. Él es soberano. Actúa a partir de su propio centro. Los otros podrán lesionar su límite, pero él no los admite. Él se protege contra la infracción.

Armonía interior

Muchas veces permitimos que las expectativas y juicios de los demás nos determinen. No nos mantenemos en lo que consideramos correcto. Ni bien la presión de la opinión externa se torna muy grande, abandonamos el propio territorio. Por consideración a las opiniones de nuestro entorno, nos adaptamos a ellas. Pero así perdemos nuestro perfil propio. Nos esfumamos. Nos adaptamos y al mismo tiempo perdemos nuestra confianza en nosotros mismos. Si nos hemos adaptado con excesiva frecuencia a las expectativas de los demás, perderemos la percepción de lo que nosotros mismos queremos. Ya no estaremos en contacto con nuestro propio sentimiento. Nos dejamos prescribir desde afuera qué sentir y cómo actuar. Pero esto conduce a un alejamiento de nuestro propio ser. Permitimos que los demás avancen por encima de nuestros límites y determinen nuestro territorio. Es fascinante la claridad y libertad de Jesús. La agresión le posibilita delimitarse claramente de los fariseos y liberarse interiormente de su influjo. Él está en sí mismo y hace lo que desde su interior percibe como correcto. Anhelamos una claridad y una libertad así. Por cierto, la consecuencia de esta claridad le cuesta la vida a Jesús. Pero esta armonía interior es más importante para él que la aclamación de las masas.

Otra escena nos muestra cómo Jesús actúa a partir de su libertad interior y que no se encuentra bajo la presión de justificarse. Nosotros mismos tratamos muchas veces de justificarnos cuando decimos que no. Nos exigimos a nosotros mismos una justificación y queremos fundamentar por qué no podemos esto o aquello. Jesús renuncia a tales fundamentaciones. Simplemente hace lo que piensa. Y tampoco permite que lo fuercen en sus palabras. Él mismo toma la iniciativa. En vez de responder a la pregunta del otro, le formula otra pregunta. Siempre que nos sintamos forzados a responder todas las preguntas de los demás, corremos peligro de dejar que nos acorralen. En primer lugar debemos defendernos y justificarnos. Y de pronto notamos que hemos permitido que el otro traspase el límite. Nos dejamos imponer las reglas de juego. Totalmente distinto de Jesús. Él actúa desde su propio centro y no permite que desde afuera le prescriban qué debe hacer. Tampoco permite que lo arrastren a tener que fundamentar su accionar. Por el contrario, él formula las preguntas que lo acosan a él. De este modo les señala el límite que no deben transgredir.

Actuar soberanamente

Marcos nos muestra asimismo otra escena en la que podemos aprender de la libertad interior de Jesús. Algunos fariseos y partidarios de Herodes se dirigen a Jesús y quieren atraerlo hacia una trampa. En principio, intentan engañarlo a través de elogios y calificándolo de maestro que siempre dice la verdad. Este acaparamiento aparentemente positivo ya es un intento de pasar por alto su límite y ganar poder sobre él. Algunos pierden el poder cuando reciben cumplidos. Se los adula, y ya dejan de decir lo que realmente piensan. Tratan de confirmar el cumplido a través de sus palabras y su conducta. Ya no son ellos mismos. Sin embargo, Jesús está en contra de tales abusos. Permanece en su centro y no deja que lo empujen en determinada dirección.

Los herodianos le formularon a Jesús una pregunta con trampa: ¿Es lícito dar tributo a César, o no? ¿Daremos o no daremos? (Mc 12,14). Sin importar la respuesta de Jesús, podrían hacerlo caer. Si dice que deben pagarse los tributos a César, tendría en su contra a los celotas y a los judíos religiosos. Se alejarían de él decepcionados y pensarían que él haría causa común con los romanos. Si él niega los tributos, tendría en su contra a los partidarios de Herodes, los que lo acusarían ante Herodes y los romanos. El llamado a negarse a pagar tributos era motivo suficiente para arrestar y matar a alguien. Los mismos fariseos no tenían en claro esta pregunta. En realidad, estaban contra el tributo. Pero al mismo tiempo eran generalmente demasiado cobardes para llevar a la práctica su punto de vista. O sea, que hacían trampa. Jesús no acepta la pregunta. Se resiste a ser acorralado por quienes le realizaban la pregunta. También aquí toma la iniciativa. Ordena a los fariseos: "Tráiganme un denario para que lo vea" (Mc 12,15). Los fariseos le alcanzan un denario y con ello ya deben reconocer que, en última instancia, reconocen al César. Jesús hace una pausa para respirar, y mientras tanto considerar su estrategia. No se deja llevar por la hipocresía de los cuestionadores, y les pregunta a sus opositores qué imagen y qué inscripción se encuentran en la moneda. Ellos responden: "De César". Entonces Jesús dice unas palabras que expresan su libertad interior y hacen enmudecer a los cuestionadores: "Den a César lo que es de César, y a Dios lo que es de Dios" (Mc 12,17). Por lo tanto, Jesús no responde la pregunta del tributo. Él sólo dice que deben devolver lo que han recibido de

César. Se refiere con ello al sistema económico, la construcción de calles, la infraestructura, el sistema monetario. Todo esto le corresponde a César. Ellos sólo deben devolver lo que han recibido. Pero ellos mismos, su propio ser, lo han recibido de Dios. Esto deben devolvérselo a Dios. Ningún César tiene poder sobre ello. El hombre le pertenece a Dios y no a un poderoso. Frente a esta respuesta, los hombres quedan sin habla.

Muchas veces nos sucede que nos acorralan mediante preguntas. Un ejemplo cotidiano: alguien llama por teléfono y quiere acordar una reunión conmigo. Si respondemos que no hay ninguna fecha libre, no aceptan la negativa, sino que continúan sondeando. Muchas veces nos molesta y enumeramos toda clase de fundamentos por los cuales realmente no es posible. Y ya nos sentimos acorralados. También en una situación cotidiana de esta naturaleza es útil una mirada al ejemplo recientemente mencionado: Jesús no deja que lo acorralen. Él actúa de modo soberano. Dado que habla desde su libertad interior, no se torna agresivo, sino que permanece sereno y claro. Siempre que nos permitamos esta libertad interior o cuando la sintamos, podremos decir "no" con calma, sin tener que defendernos. Resaltar el propio límite sin tener que justificarnos es un camino que, a su vez, nos puede ahorrar mucha energía y esfuerzo. Jesús también muestra para esta situación cotidiana que no debemos dejarnos expulsar del rol de actor. Si también somos los actores en el teléfono, nos costará menos energía delimitarnos. Ni bien tengamos que justificarnos y fundamentar nuestro límite, ya habremos permitido que el interlocutor avance por encima de nuestro límite. Ya estará en nuestro ámbito interior. Y nosotros pensamos que sólo podremos sacarlo de este ámbito mediante nuevos y mejores argumentos. Jesús quiere mostrarnos otra cosa: no necesito justificarme. Digo lo que considero adecuado. Es suficiente. No debo colocarme bajo presión para que el otro comprenda mi negativa y la apruebe. Dije que no y esto es suficiente. Lo que piense el otro, es cosa suya. No debo romperme la cabeza pensando en ello.

Diferenciaciones necesarias

En el acompañamiento escuchamos acerca de las más diversas estrategias para traspasar los límites de una persona. Así el caso de una mujer que cuenta acerca de la estrategia de su novio para generar en ella sentimientos de culpa cuando ella encuentra el valor de delimitarse. Dado que ella es una mujer espiritual, sus sentimientos de culpa son su talón de Aquiles. Ni bien su novio le adjudica la culpa por las dificultades en la relación, ella no puede defenderse, ya que pretende de sí misma hacer todo correctamente. Ella se pregunta si con amor y paciencia podría contribuir a que la relación sea exitosa. Una estrategia todavía más masiva para disolver el propio límite es la amenaza del suicidio. Cuando su novio amenaza con quitarse la vida, ella no se anima a reconocer el propio límite. Deja que la empujen hacia compromisos que la empequeñecen cada vez más. Es decir, cada uno de nosotros tiene un talón de Aquiles. A través de él, el otro puede ingresar en nosotros, y nosotros no podemos defendernos. Para uno, el talón de Aquiles es el miedo frente a las habladurías de la gente; para el otro, el propio perfeccionismo o la pretensión de no herir a nadie y no exigir nada de otro. Es necesario el don de la diferenciación a fin de reconocer cuál es la verdadera voluntad de Dios, y dónde nos dejamos empujar por los otros hacia cosas que diluyen cada vez más nuestros límites y nos empequeñecen y debilitan siempre más.

Una mujer, tras interrumpir su terapia, recibía una y otra vez los llamados de su terapeuta. Él le prometía que podría curarla, que la rescataría hacia una sexualidad libre si ella dormía con él. Con él, ella sería capaz de amar. Él podría explicarle psicológicamente con precisión que ella estaba atascada y deprimida por la represión de la sexualidad, que sus dificultades sólo estaban fundadas en los antiguos conceptos de la moral de la sexualidad que ella conservaba. La mujer se sintió acorralada por sus llamados. Ella no era soberana y todavía no había encontrado su centro. Aún dependía mucho de lo que el terapeuta le respondiera si ella se negara. La observación de la libertad interior de Jesús podría ayudarla a no dejar que la acorralen, a no tener que justificarse. Entonces estaría en condiciones de dar vuelta la tortilla y preguntarle al terapeuta: "¿Para qué necesitas tus fantasías de liberación? ¿Por qué te resulta necesario dormir con tus pacientes?". Entonces ella estaría interiormente libre de la presión de justificarse. Y, más bien pondría en un aprieto al terapeuta. Él debería descender de su trono terapéutico y aceptar sus propias necesidades.

8. Personas sin límites
Del tratamiento del puré de emociones

Personas indefensas

Existen personas que ya no tienen límites. También en el Evangelio nos encontramos con relatos que cuentan de ello. Juan nos describe en el capítulo 5 de su Evangelio, la sanación de un hombre que estuvo enfermo durante 38 años. El número 38 se refiere a la salida de los israelitas de Egipto. Los israelitas ya habían llegado, en realidad, después de dos años al límite de la tierra prometida. Pero como se rebelaron contra Dios, como castigo debieron ir por el desierto durante 38 años "hasta que todos los hombres de guerra hubieron muerto" (Cfr. Dt 2,14). Por lo tanto, el hombre que estuvo enfermo durante 38 años ya no tiene armas. Ya no puede defenderse. Su enfermedad consiste en que ya no puede delimitarse. Representa a las personas que ya no tienen límites. De tal modo, él adquiere todo lo negativo de su entorno, lo atrae, por así decir, dentro de sí, y se contagia de todos los dolores a su alrededor. Una y otra vez hallamos personas que de inmediato todo lo refieren a sí mismas. Si alguien se ríe, piensan que se ríen de ellas. Si alguien mira con tristeza, de inmediato buscan en sí mismas la culpa y se preguntan que han hecho mal. Si ven dos jóvenes que conversan en el tren, tienen la impresión de que hablan de ellas. Estos hombres nunca están en sí mismos, sino siempre en los demás. Quien refiere a sí mismo todas las manifestaciones de los demás y absorbe todos los sentimientos y estados de ánimo de los otros, ya no sabe ni quién es ni dónde está parado. Estos hombres flotan y han perdido pie. Cuando algo en el grupo salió mal, se acusan a sí mismos. Si alguien vocifera por algo, se preguntan de inmediato si está dirigido a ellos, si cometieron algún error.

Riesgo a causa de la mixtura

En la terapia se habla de personas "confluentes". El vocablo en latín *confluere* significa "confluir". Cuando dos ríos confluyen, ya no se ve el límite entre ellos. Sus aguas se entremezclan. También existen acompañantes confluentes. Ellos incorporan los sentimientos del otro. No tienen distancia de aquello que conmueve al paciente. Pero de esta manera, no pueden acompañarlos verdaderamente, ya que no pueden confrontar al otro o reflejarle sus sentimientos. Ellos están en el otro y se entremezclan con él. Esto lleva a la falta de claridad y a la dependencia. Existe una adhesión entre ambos pero no es posible soportarse y ayudarse. El acompañante entrega una dedicación sin límites porque él mismo la necesita en forma desmedida. Pero de esta manera no ayuda sino que exprime a aquellos que debería acompañar y ayudar. En última instancia, necesita el acompañamiento para sí mismo. Esto lo enceguece frente a las necesidades y límites del otro.

También en las familias existen tales personas confluentes. Así, por ejemplo, el hijo o la hija no viven su propia vida, sino que se entremezclan con el padre o la madre. Los pensamientos de la madre son también los de la hija o del hijo, y también a la inversa. Si el hijo o la hija deben tomar una decisión, ya no pueden distinguir su propia voz interior de la voz del padre. Piensan como el padre. Ya no existen límites entre ellos y el padre. En una familia confluente existe un desorden interior. Debido a la mezcla de emociones se forma un "puré" de emociones. La consecuencia: nadie encuentra su propio lugar. Cada uno está penetrado por las emociones de los demás. Todo confluye en un caos turbio.

También existen purés de emociones en los grupos, principalmente en las empresas. Los trabajadores no pueden delimitarse o no tienen límites. Se esfuman con los sentimientos y actitudes de los demás. Es peligroso enredarse en tal puré de emociones. Uno deja de sentir el suelo. Se desconoce a sí mismo. Ya no sabe dónde comienza ni dónde termina, quién es cada uno en realidad. Ya no soy libre de pensar y decidir, si las emociones de los otros están adheridas en mí. Por último, ni siquiera sé cuáles son mis pensamientos y dónde mis propias sensaciones fueron contagiadas por el clima del entorno.

No sólo las emociones del otro fluyen dentro de mí; también sus lados de sombra. Y éstos son aún más peligrosos, ya que ni siquiera tomo conciencia de ellos. Ignoro por qué estoy tan deprimido o agresivo. La agresión reprimida del gerente del departamento se deposita en mi alma sin que me dé cuenta. Quizás el jefe sea amable hacia afuera. Él se comporta exteriormente con corrección, pero a través de su conducta se filtran sutilmente dentro de mí su rechazo de sí mismo y su desprecio por los hombres. A menudo no sabemos por qué nos sentimos incómodos, extenuados, agotados, agresivos o deprimidos en un departamento. En tal situación se aplica lo siguiente: en primer lugar, debemos reconocer qué fluye hacia nosotros desde el entorno. Luego se trata de establecer un límite claro frente a las influencias externas. Un camino para delimitarse de las emociones y lados de sombra de los demás consiste en estar bien contactado consigo mismo. Si percibo mi ser y estoy conmigo, entonces no dejaré que los estados de ánimo de los demás se introduzcan tan fácilmente en mí. A veces ayuda colocarse la mano sobre el corazón durante las conversaciones, a fin de recordar interiormente que "No permito la entrada en mi corazón de las emociones negativas de los demás. Éstas son su problema. Las dejo en el otro. Yo protejo mi corazón frente a la destructividad del otro. Estoy en mí".

La fuente interior

Una mirada al mencionado relato de sanación de Jesús en el Evangelio según San Juan nos vuelve a mostrar cómo podemos manejarnos de manera saludable con tales situaciones. Jesús sana al hombre sin límites. No lo hace fundiéndose en compasión o compadeciéndolo. En muchas otras sanaciones de enfermedades se dice que Jesús siente compasión. En la compasión él se abre al otro y le permite ingresar en él. En algunos casos esto es necesario para tomar contacto con sus corazones. Pero frente a un hombre sin límites, esta apertura sería mortal. Un método terapéutico de confrontación es más útil. Jesús desafía a este enfermo cuando le pregunta por su propia voluntad: "¿Quieres ser sano?" (Jn 5,6). El enfermo debe querer él mismo su sanación. No debe delegarla al terapeuta o al asistente espiritual. El enfermo le cuenta a Jesús su historia de vida. Le explica porqué está enfermo. El motivo de su enfermedad radica en el hecho de que no tiene a ninguna persona que lo ayude. Se quedó demasiado corto. A los otros hombres les va mejor que a él. Jesús hace caso omiso a estas explicaciones del enfermo. No le transmite cuánto lo comprende sino que lo confronta con una orden unívoca: "¡Levántate, toma tu lecho y anda!" (Jn 5,8). A este hombre no le ayuda la compasión, ya que ésta lo invitaría a compadecerse de sí mismo y profundizar la propia confusión. Jesús lo pone en contacto con la energía que, a pesar de su enfermedad, existe dentro de él. Jesús lo cree capaz de levantarse y pararse en sus propios pies. Y así se lo ordena. No deberá simplemente desechar el lecho como signo de la propia inseguridad y enfermedad, sino llevarlo bajo el brazo. La enfermedad, la debilidad, los obstáculos no deberán detenerlo en la vida. Él deberá proceder de otra manera con sus bloqueos, en forma alegre, llevando a pasear el lecho. Podrá estar cohibido e inseguro, pero de igual modo deberá exigirle a la gente. Con sus obstáculos deberá acercarse a las personas, en lugar de permitir que éstas lo detengan en la vida. Sólo lo logrará si se delimita de los hombres, al no permitir que los pensamientos y cualquier opinión de los hombres ingresen en él, sino que viva a partir de sí mismo y no a partir de los demás. Jesús no necesita levantar al enfermo en el agua para que sane. Por el contrario, lo pone en contacto con su fuente interior que siempre brota a borbotones dentro de él.

Inundado de extraños

La falta de límites es con frecuencia un trastorno psíquico. En las personas psicóticas, la incapacidad de delimitarse adopta muchas veces formas extrañas. Esto se incrementa hasta el delirio de persecución. Un joven contaba que inclusive su orina estaba influenciada por las personas de una secta. Ya no podía estar seguro ni en su cuarto. Las personas de esa secta manipularían sus pensamientos desde la distancia. En el delirio de persecución se cree que el propio teléfono está intervenido, o que otros pueden ingresar a la vivienda a pesar de los cerrojos o la alarma. Lo que la enfermedad nos muestra tan drásticamente en forma aumentada, por cierto lo conocemos todos en forma más atenuada. También nosotros tenemos la impresión de que los pensamientos de otros penetran en nosotros, que nos contagiamos de las ideas que caracterizan nuestra sociedad. A veces nos descubrimos en el momento en que no pensamos nuestros propios pensamientos sino que adoptamos lo que fluye hacia nosotros desde todos lados. Si estamos en un grupo, perdemos la sensación de la identidad propia. Inconscientemente nos adecuamos al entorno. Al hablar, adoptamos el lenguaje de los demás. Nos sumergimos en su actitud y olvidamos lo que sentimos verdaderamente nosotros mismos.

Las personas sin límites tienen grandes dificultades en nuestra sociedad inundada de estímulos. A través de los medios, los acontecimientos de países extranjeros transgreden continuamente los límites de su casa y de su corazón. Las noticias horrendas de las zonas de guerra y las regiones en crisis de este mundo fluyen sobre ellas y les dificultan vivir su propia vida.

Están determinadas por aquello en lo cual son partícipes en la televisión. Por bueno que sea sentir gran compasión por las personas maltratadas en el mundo, puede convertirse en un riesgo que toda la miseria del mundo me inunde y obstaculice mi vida. En esta situación necesitamos la capacidad para establecer nuestro límite.

Delimitarse no significa ser insensible frente al dolor del mundo, sino establecer por sí mismo el límite hasta dónde puedo y quiero admitir la necesidad de los hombres en mí, y dónde sencillamente debo protegerme para poder vivir como ser humano en este mundo. Un buen camino para delimitarse sin cerrarse por ello al dolor del mundo es rezar por los hombres de cuya miseria informan los medios. Si rezo por ellos, siento con los hombres, pero no me empapo con su dolor. Lo transmito a Dios con la esperanza de que Él no deje solas a estas personas. Otro camino es participar en un proyecto concreto que ayude a estos hombres, o solventarlo económicamente. Pero debemos ver que también en la ayuda concreta tenemos límites. No podemos comprometernos a diario con las numerosas víctimas de la violencia y las catástrofes naturales que la televisión nos presenta.

9. Dejar de sentir el propio límite
De la adicción y la enfermedad espiritual

Desmesura como riesgo

La adicción no es una enfermedad reciente, ya que la desmesura es un riesgo constante del hombre. En el Evangelio según San Lucas, Jesús relata el ejemplo de un hombre rico que esperaba una buena cosecha en sus campos. Y él pensaba para sí, diciendo: "¿Qué haré, porque no tengo dónde guardar mis frutos?". Finalmente dice: "Esto haré: derribaré mis graneros, y los edificaré mayores, y allí guardaré todos mis frutos y mis bienes; y diré a mi alma: Alma, muchos bienes tienes guardados para muchos años; repósate, come, bebe, regocíjate" (Lc 12,17-19). En tales conversaciones del hombre rico consigo mismo, Lucas formula nuestros propios pensamientos. Si tenemos éxito, creemos que deberíamos aumentarlo aún más. El hombre rico representa a las personas que no tienen medida, que nunca obtienen lo suficiente. En última instancia, se trata de una adicción que impulsa al hombre a derribar sus antiguos graneros para edificar otros mayores. Jesús permite que Dios se dirija al hombre rico: "Necio, esta noche vienen a pedirte tu alma; y lo que has provisto, ¿de quién será?" (Lc 12,20). El hombre creía que podía aumentar infinitamente sus bienes y finalmente disfrutar la vida.

El hombre es responsable por el trastorno adictivo. Las personas adictas no tienen medida. Beben sin medida. Ni bien comienzan a beber, pierden la noción de su límite. Una mujer que padecía bulimia, contaba que al comer no tenía noción del límite. Siempre debía continuar comiendo. Y no se detuvo en la adicción de comer. Esta falta de medidas en la comida se mostró también en la incapacidad de poner un límite frente a los demás. La adicción es, según la opinión del psicólogo Theodor Bovet, reemplazo de la madre. El adicto se detiene en el nivel del niño. No quisiera partir del nido, del país de las maravillas en el que puede tener todo lo que desea. La esencia de la adicción radica en la desmesura y en la incapacidad de terminar. Por eso todo puede convertirse en una adicción. El objeto de la adicción puede ser el alcohol, los medicamentos, las drogas, el trabajo, los cigarrillos, el café, el juego, el dinero, los libros, las relaciones, la sexualidad. Karl Jaspers formuló filosóficamente la causa de la adicción y dijo que detrás de ella siempre se encuentra "un vacío especial e incrementado". Con frecuencia es la falta de experiencia de protección de la madre, de manera tal que el psicoterapeuta húngaro Leopold Szondi, fundador del análisis del destino, denomina la adicción "prótesis permanente de la madre que ha defraudado". Muchas veces, un adicto ha experimentado protección de la madre en su infancia. Pero no logró dar el paso para salir de esa protección e introducirse en la realidad de un mundo que no satisface todos los deseos.

Susceptibilidad y dependencia

Personas susceptibles a los trastornos adictivos son principalmente aquellas que poseen una elevada sensibilidad frente a los sentimientos desagradables y una reducida tolerancia a la frustración. Ambas cualidades muestran la incapacidad de delimitarse. Los adictos son inundados de sentimientos negativos. No pueden delimitarse hacia adentro frente a esos sentimientos. Y por lo tanto también son incapaces de delimitarse hacia afuera. Una característica de la adicción es la dependencia. Ya no se puede estar sin el alcohol, la comida, el trabajo. En última instancia, la adicción es siempre un anhelo reprimido. El hombre anhela protección y amor absolutos. El adicto espera de cosas exteriores la satisfacción de su deseo. Para ello necesita cada vez más dinero, cada vez más drogas, cada vez más dedicación. Pero ni el dinero, ni el éxito ni la confirmación pueden satisfacer el deseo de amor. El adicto, por lo tanto, nunca está satisfecho. Es cierto lo que dijera cierta vez André Gide: "Lo terrible es que uno nunca se puede emborrachar bastante".

Tan peligrosas como las adicciones materiales que llevan a la dependencia del alcohol o los medicamentos, son las llamadas adicciones no materiales, como la adicción al juego, la adicción al trabajo, la adicción de relación, la ambición desmedida, la adicción al sexo. La adicción al trabajo actualmente llega a ser incluso retribuida. Se cree que los adictos al trabajo son especialmente aplicados y por ende serían de gran utilidad para la empresa. Si bien el adicto al trabajo trabaja mucho, poco se logra con su tarea. Dado que él necesita el trabajo, no puede delegar e inclusive tapona su tiempo libre con trabajo. No puede soportarse a sí mismo en su medianía. Él demuestra su valor a través del trabajo y se esconde tras él. Pero por no tener distancia frente al trabajo, no es creativo ni innovador. Él se aferra a su trabajo porque lo necesita como una coraza con la cual protegerse de los cuestionamientos y las críticas. En su adicción al trabajo ya no percibe los límites de su capacidad de carga. En algún momento su cuerpo se rebela. Los adictos al trabajo padecen del síndrome del *burnout*. Se sienten agotados o vacíos, o padecen de trastornos cardíaco-circulatorios. Quien quiere rendir cada vez más, resbala en una incapacidad crónica de su actividad. Quisiera rendir pero simplemente ya es imposible. El cansancio, la falta de empuje y el desgano son la reacción saludable de su psiquis frente a la necesidad exagerada de actividad. Los psicólogos estiman que sólo en Alemania existen más de 200.000 adictos al trabajo.

Renuncia saludable

Un empleado bancario me contó cuánto le molestaba la desmesura con que especialmente las personas jóvenes desean obtener ganancias en la Bolsa. Ellas creen que pueden adquirir una acción por la mañana y venderla por la noche al doble de precio. Allí surge una verdadera adicción. Pero esta falta de medida ha llevado a muchos a la ruina financiera. Tampoco en la Bolsa crecen árboles de dinero. También aquí se muestra que quien no pueda limitarse, será víctima de su desmesura. La capacidad de decir "no", de conformarse con lo que tenemos, disminuye día tras día. La sociedad nos seduce a querer todo sin límites. Precisamente eso se nota ahora con la anorexia, tan difícil de curar. Por querer tener un cuerpo tan delgado como el que se elogia en la publicidad, ayunan hasta morir. Pierden la medida de la comida y del ayuno.

Para curar la adicción es necesaria la capacidad de renuncia. Ésta es, en última instancia, la capacidad de establecerse un límite. Me fijo un límite en la comida y en la bebida, en el trabajo y en la ganancia de dinero, en las compras y en el juego. Para que un niño se desarrolle en forma saludable es necesario que acepte los límites de la realidad. El pecho materno no está siempre a disposición del niño. No existe comida en todo momento. Todo existe con medida. Las personas que no aprenden a renunciar son incapaces de desarrollar un yo fuerte. Pero el yo fuerte es un requisito para delimitarse frente a los deseos adictivos. El adicto tiene, a su vez, una imagen desmedida de sí mismo. Por esta razón, para curar la adicción necesita la medida correcta de autoestima. Debemos despedirnos de la ilusión de que somos las personas más grandes, las mejores y más inteligentes. Debemos conformarnos con lo que somos y reconciliarnos con nuestra estructura y nuestro carácter.

El camino de la transformación

Otro camino hacia la curación de la adicción consiste en transformar nuevamente la adicción en un deseo. En la adicción, dirigimos nuestro deseo a cosas limitadas y de esa manera las demandamos en exceso. Necesitamos cada vez más y nuevos objetos de adicciones. No podemos dejar de beber y trabajar cada vez más. Sin embargo, si dirigimos nuestro deseo hacia Dios, que por sí solo es infinito, nuestro tratamiento de las cosas logrará la medida correcta. No esperamos del vino la solución de nuestros problemas. Podemos disfrutarlo. Pero al mismo tiempo sabemos que no podemos estar siempre felices, que también la tristeza y la decepción nos pertenecen.

En las adicciones ligadas a objetos materiales chocamos rápidamente contra nuestros límites. El alcohólico reconoce en algún momento que bebe hasta morir. En las adicciones inmateriales, tales como la adicción al juego o la adicción al trabajo o la adicción de relación, es más difícil de reconocer. Pero también aquí la curación pasa por la transformación de la adicción en un deseo. Debo tomar contacto con el deseo que se encuentra detrás de mi trabajo ininterrumpido. ¿Es el anhelo de reconocimiento, de importancia, de éxito de mi vida? ¿O es la huida de mi medianía, de la que quiero escaparme mediante mi trabajo? Para San Benito, el trabajo es un desafío espiritual importante. En él puedo reconocer si me escondo detrás del trabajo y lo desperdicio como adicción, o si el trabajo fluye desde una fuente interna del Espíritu Santo. Cuando el trabajo fluye de la fuente del Espíritu divino, entonces podré trabajar mucho sin agotarme. Y mi trabajo tendrá entonces algo alegre en sí y no la dureza y agresividad que emanan los adictos al trabajo. Quien trabaja desde una fuente turbia, desde la fuente de su ambición, de su perfeccionismo o de su adicción, contamina su entorno con sus necesidades reprimidas. Si observo mis sentimientos en mi cuerpo durante el trabajo, podré reconocer a partir de qué fuente trabajo.

San Benito considera que el trabajo está limitado siempre por la oración y la meditación, por el ocio y las comidas conjuntas. El orden del día que San Benito esbozó para los monjes otorga la medida justa a cada una de las distintas necesidades. El límite exterior impuesto al trabajo le otorga orden al monje. Quien nunca puede cesar de trabajar muestra que ha perdido la medida para sí. En algún momento, su cuerpo fallará y le obligará a aceptar su límite. Pero también esto les resulta difícil a muchos. Ellos creen que deberían impulsar a su cuerpo sin medida para que pueda rendir la cuota de trabajo deseada. A más tardar la muerte nos fijará un límite. Así lo debió aprender el hombre en la parábola de Jesús. En la misma noche Dios le reclamó su vida. Toda su planificación fue en vano.

Percepción perdida

No sólo las personas con trastornos adictivos han perdido la percepción del propio límite, sino también aquellos con tendencias psicóticas. Por ejemplo, un hombre que padece de esquizofrenia. Durante mucho tiempo todo va bien. Él celebra una fiesta con familiares y amigos, y habla normal y razonablemente con los invitados. Pero de pronto, le resulta demasiado. La madre nota que él ha traspasado su medida, lo lleva a un lado y quiere abandonar con él la fiesta. Pero él considera que está tan amena que debería quedarse más tiempo. Sin embargo, si se queda más tiempo sufrirá otra vez un brote psicótico. Su enfermedad consiste justamente en no conocer su propio límite. Sólo puede mantener el contacto con los demás durante un tiempo. Luego se desintegra interiormente. Él mismo no nota cuándo deja de sentarle bien estar con la gente. No percibe cuándo sería conveniente que estuviera solo.

Una falta de límites de esta naturaleza es también una característica típica de la manía. Cuando las personas maníaco-depresivas entran en su fase maníaca, pierden toda noción de medida. Entonces encargan cantidades enormes de materiales a las empresas, que en realidad no necesitan o que inclusive tampoco pueden pagar. Trabajan sin medida. Ya no necesitan dormir. Están lúcidas y creen que podrían trabajar durante las 24 horas. Tales maníacos pueden sobresaltar a su entorno. Siempre hay que calcular que harán algo que los ponga en graves aprietos. Pero ellos creen tener el control de todo. A veces la manía también se muestra en una catarata infinita de palabras. Uno tiene la sensación de que hablan sin respirar. De cualquier forma, uno no tiene la posibilidad de intercalar algo. Hablan en forma ininterrumpida y no permiten que los demás se expresen.

A veces llegan al acompañamiento este tipo de personas sin límites. Ellas no tienen percepción de la situación en una conversación de acompañamiento. Después de hablar sobre sí mismas en un interminable monólogo, de pronto cambian de rol y juegan al terapeuta del acompañante. Le preguntan cómo le va. Le dicen que está muy pálido. O se le acercan demasiado físicamente. Traspasan su límite. Para el acompañante, esas conversaciones son muy desagradables. Las personas sin límites provocan que debamos cuidar especialmente nuestros límites. De lo contrario, tenemos la impresión de perdernos nosotros mismos. Pero muchas veces es necesaria gran energía frente a una persona sin límites para poder defender el propio. Los acompañantes se dejan cubrir por el aluvión de palabras del otro y no ven posibilidad alguna de señalar su propio tiempo limitado. Les molesta haber hablado más tiempo con el paciente del que les hace bien. Algunas personas logran, una vez que el acompañante quiere concluir el diálogo, comenzar el auténtico problema importante. La conversación se extendió más bien indolente hasta ese punto. Pero ni bien perciben que el tiempo del diálogo culminó, comienzan a llorar amargamente y le hacen prácticamente imposible al acompañante terminar la sesión. Es necesaria una buena percepción del propio límite para mantenerse consecuente y vigilar el propio límite de tiempo.

El éxito de muchos *talkshows* televisivos, en los cuales las personas muestran lo más íntimo de ellas ante millones de televidentes, indica que hoy en día muchos han perdido la sana percepción de los propios límites, y que esta pérdida no aparece sólo en las personas enfermas sino que se trata de un problema social. La intimidad se presenta públicamente en sucesiones siempre nuevas y de acuerdo con un modelo de repetición similar a las adicciones. Los conductores extraen de sus invitados, en lo posible, mucho de su vida privada. Lo privado es

–como ya lo indica su significado– algo apartado, reservado, delimitado. Si se suprimen los límites entre lo privado y lo público, los telespectadores se convierten en divertidos *voyeurs*, que deben satisfacer su adicción con intimidades siempre nuevas de personas extrañas, porque cada vez son más incapaces de una intimidad cultivada por ellos mismos. Tal carencia de límites no les hace bien ni a los espectadores ni a los actores. Es un signo de la enfermedad de nuestra época.

10. Reconocer los propios límites
De la represión y la sinceridad

Imágenes ideales incorrectas

Siempre es un proceso doloroso reconocer la propia limitación y admitir incluso ante uno mismo sus límites. Por regla general, creemos que siempre podemos más. Podemos trabajar tanto como nuestro colega o amigo. Precisamos tan pocas horas de sueño como éste o aquél. No nos agrada reconocer nuestros límites, ya que de esa **manera** probablemente pareceríamos estar en inferioridad de **condiciones** frente a los demás. Deberíamos admitir que nuestros recursos físicos y psíquicos son limitados, que nuestra capacidad de carga tanto en el trabajo como en la vida privada no son ilimitados, que no podemos enfrentar cualquier conflicto. Y deberíamos admitir y aceptar frente a nosotros mismos que nuestras capacidades son limitadas. No todos pueden interesar a los demás. Nuestra capacidad para conducir a otros, para resolver conflictos, para abordar problemas seguramente no está tan marcada en unos como en otros. Para muchos no es fácil soportar sus límites financieros. Hasta ahora, han gastado dinero durante las vacaciones en forma generosa. De pronto deben ahorrar y reconocer frente a otros que no pueden permitirse tal o cual viaje. El reconocimiento de nuestros límites duele. Y requiere humildad. La humildad presupone el valor para la verdad, el valor para descender a la realidad de nuestro cuerpo y nuestra alma, a la realidad de nuestra constitución física.

Nos gustaría cerrar los ojos frente a nuestros límites y así parecernos al ciego de nacimiento en el Evangelio (Juan 9,1-12). Naturalmente, preferimos identificarnos con la imagen ideal que tenemos de nosotros: con el ideal de la persona amable y servicial, que gusta de escuchar e intervenir a favor de los demás, allí donde hay sufrimiento en el hombre; o con la imagen ideal del trabajador resistente al que se le puede exigir y confiar mucho, que no rechaza tarea alguna ni se atemoriza frente a nada. Nos identificamos con la imagen del hombre que tiene el manejo de todo y logra todo lo que se ha propuesto, del joven hombre tranquilo y exitoso, de la mujer dinámica y segura de sí misma. Pero esta identificación con nuestra imagen ideal nos ciega frente a nuestra propia realidad. Muchas veces vivimos más allá de nuestras condiciones saludables, hasta que nuestro cuerpo nos indica en forma insistente e inconfundible que no podemos seguir permitiéndonoslo. Tal el ejemplo de aquella maestra que creía que ella era indispensable para su escuela. Si bien se quejaba de que todo era demasiado, no tenía el valor y la decisión para escuchar las señales de su cuerpo y de su alma. Luego su piel "hizo huelga". La consecuencia: debió retirarse durante medio año de la actividad escolar para cuidar y sanar su piel herida. Dado que no había aceptado su propio límite, su cuerpo le mostró con violencia su verdadera situación y le hizo notar sus límites. Entonces debió estar alejada de la escuela durante mucho más tiempo que si hubiera reducido oportunamente su número de horas.

La sanación del ciego

Quien durante demasiado tiempo aparta la vista de su propia verdad e ignora la realidad, poco a poco se volverá ciego frente a ella. Podemos imaginar al ciego de nacimiento al que Jesús sana como un hombre que desde su nacimiento estuvo imposibilitado de mirar su realidad porque le era demasiado horrenda. Para su alma, mirar para otro lado fue necesario para sobrevivir. De niño no habría soportado la brutalidad y desconsuelo de su existencia. Pero en algún momento la represión acorrala su vida. Y entonces la presión del dolor le impone la búsqueda de sanación. He conocido a una mujer que siempre embelleció su infancia. Sin embargo, había algo en ella que siempre la colocaba en conflicto con sus semejantes. Recién cuando pudo admitirse que su infancia fue desconsolada por la pobreza posterior a la guerra, buscó verdadera ayuda. Antes creía que los demás eran culpables de su problema. Durante mucho tiempo no pudo ver su infancia tal como fue. Esto le había movido el piso. La idea de una infancia sana era lo único que podía mantenerla. No debemos juzgar este hecho de manera precipitada y general. A veces no nos queda otra estrategia que cerrar los ojos. Los niños a veces cierran los ojos y creen que los demás podrían no verlos, que entonces estarían solos. Lo hacen muchas veces cuando han realizado algo que les da pena y que los demás no deben ver. Pero cerrar los ojos no es una solución para las personas maduras. Si cerramos permanentemente los ojos, en algún momento ya no veremos nada.

Jesús cura al ciego al escupir sobre la tierra, sobre el humus. Él hace lodo con la tierra y su saliva, y coloca esa mezcla sobre los ojos del ciego, como si con eso quisiera decir: "Reconcíliate con lo desagradable, con la 'suciedad' que también está en ti. Acepta que fuiste tomado de la tierra y que el peso de tu tierra te oprime. Sólo si aceptas tu terrenalidad, sólo si te reconcilias con la suciedad, podrás ver realmente, podrás ver la realidad tal como es". Con la mezcla de humus de la tierra, Jesús muestra lo que es *humilitas*. "Humildad" es la valentía de aceptar su atadura a la tierra, reconocer lo sucio dentro de uno y reconciliarse con ello. Pero el hombre sólo logra aceptar su propio "lodo", reconciliarse con sus lados de sombra, cuando el lodo está impregnado de amor y ternura, las que Jesús le demostró al ciego de nacimiento mediante su saliva. Jesús le untó afectuosamente sobre los ojos la mezcla de lodo y saliva, y con ello le transmitió: "Está bien así como eres. El lodo también puede ser. También debes mirarlo afectuosamente". *Humilitas* también tiene relación con "humor". Quien se acepta como es, estará sereno. Podrá reírse de sí mismo. Tendrá humor. Y la humildad significa contacto con el suelo: estoy con ambos pies sobre la tierra. No levanto vuelo y construyo castillos en el aire. Quien está sobre la tierra, también reconoce sus límites. Sabe que fue tomado de la tierra y que por lo tanto, también tiene posibilidades limitadas.

Valor para la verdad

Es necesario valor para observar abierta y honestamente mi historia de vida y reconocer mis heridas. Las heridas de mi infancia me muestran claramente que no puedo esperar milagros de mí. Si bien las heridas pueden ser transformadas y sanadas, sólo ocurrirá si las reconozco. Y el reconocimiento de mis heridas presupone aceptar mis límites. Si de niño me sentía abandonado, de adulto lo recordaré en cada despedida. Por eso me resultará difícil despedirme. Si lo sé y lo he reconocido como una verdad que me pertenece, entonces no tendré que sobrecargarme continuamente para buscar algo nuevo. Necesito protección para que el niño interior pueda crecer y sea lo suficientemente firme para animarse a las despedidas. Las heridas me descubren límites que no puedo pasar por alto. Si cierro los ojos ante ello y me obligo una y otra vez a ir más allá de mis límites, siempre volveré a fracasar. Dado que yo mismo no me animo a abrir los ojos, a través del fracaso se abrirán mis ojos con dolor.

En el entorno profesional encontramos una y otra vez personas que se niegan a aceptar sus límites. Todos vemos que les resulta difícil cumplir las exigencias de su nuevo puesto. Pero ellos creen ser los trabajadores más capaces que uno pueda imaginar. A veces se dirigen al jefe y le solicitan un aumento de sueldo porque trabajan mejor que el promedio. Es difícil colocar frente a los ojos de estas personas sus límites. Todos en la empresa perciben que este trabajador está sobreexigido. En cambio, él considera ser el trabajador más eficiente. Evidentemente, él necesita la ceguera para no tener que mirar a los ojos de su propio término medio. Entonces necesita a alguien que, como Jesús, le muestre clara y unívocamente frente a sus ojos la verdad y al mismo tiempo lo trate con afecto. Eso lo ayudaría a reconciliarse con el hecho de que también fue tomado de la tierra y de que no es un idealista.

En el acompañamiento resulta a menudo trabajoso animar al otro a reconciliarse con sus límites. Existen muchos que no quieren reconocer su realidad. Ven el fundamento de los problemas que tienen en sus difíciles relaciones. Su visión es: dado que los demás me comprenden tan poco, dado que los demás son tan inmaduros y estrechos, les va tan mal. Dado que los demás se dedican tan poco a sí mismos, no pueden vivir en paz consigo mismos. Ellos construyen una teoría sobre su estado para esquivar la propia verdad. Y se aferran a este edificio de su imaginación, aún cuando un observador pueda detectar rápidamente que siempre se le adjudica a otro la responsabilidad por su estado en lugar de que el propio afectado acepte su responsabilidad. Pero ni bien el acompañante le comunica sus observaciones y sensaciones, el acompañado intenta interpretar todo de manera que se adecue a su propia imagen personal, o encuentra nuevas causas para justificar su conducta y rechazar como impropias las observaciones del acompañante.

"Ve a lavarte en el estanque de Siloé", le dijo Jesús al hombre ciego: en esos casos es necesaria la forma afectuosa y a la vez consecuente y directa de Jesús, para darle valor a que laven sus ojos aquellos que los cierran frente a su verdad; y esto significa ver las cosas tal como realmente son.

A veces llegan al acompañamiento personas que son muy amables y dispuestas a hablar de sí. De todas maneras, se tiene la impresión de que no están en contacto consigo mismas. Uno querría sacudirlas para que se sientan a sí mismas y miren a los ojos a su verdad. Pero cuanto más las impulsamos a observar sus sentimientos, tanto más se cierran. Si bien hablan sobre sus sentimientos, permanecen en su cabeza y no dan lugar a las emociones. Uno tiene la sensación de que desempeñan el papel del alumno obediente y servicial. Pero no están consigo mismas. En esta situación, el acompañante requiere mucha paciencia y, al mismo tiempo, una gran benevolencia frente a un interlocutor así. También debe liberarse de su orgullo de llevar al otro indefectiblemente a su verdad. No obstante, si permanece afectuoso como Jesús frente al ciego, de pronto las puertas se abrirán. El otro probablemente encuentre el valor para lavar sus ojos en el "estanque de Siloé". Cerca del Enviado (es decir, "Siloé"), podrá abrir sus ojos y ver la realidad, tal como es.

II. Cuando todo se vuelve excesivo
De los sentimientos de culpa y el enfado innecesario

Un repliegue saludable

¿Cómo reaccionamos cuando todo se nos vuelve excesivo, cuando algo amenaza crecer más allá de nuestra cabeza o cuando ya no sabemos qué hacer? Ésta es una situación que no sólo nos afecta a nosotros. Es decisivo que aprendamos a respetar nuestros límites. Lucas nos cuenta cómo Jesús se aparta de los discípulos y los hombres para rezar una y otra vez. Así está expresado en el capítulo 6: "En aquellos días él fue al monte a orar, y pasó la noche orando a Dios" (Lc 6,12). Jesús percibe que necesita tiempo para sí mismo, un tiempo en el que nadie puede molestar. Por eso se repliega a la soledad. Él no se queja porque todos lo consultan continuamente, porque todos quieren algo de él. Él simplemente asume las consecuencias y se aleja de los hombres para dirigirse al monte. Allí, en la soledad, encuentra la libertad y a través de la oración toma contacto con su fuente interior. Experimenta el ser uno con el Padre. La unidad con el padre lo protege de ser "devorado" por los hombres. Después de que Jesús pasara toda la noche solo en la oración, elige entre sus discípulos a los doce apóstoles. La oración le había mostrado que debía delegar su tarea en otros a fin de no perder su propio límite. Al igual que Moisés, también Jesús reconoce así su límite. Moisés había reunido ancianos para liberarse. Jesús designó discípulos y los envió a las ciudades de los alrededores para proclamar el mensaje a los hombres y sanar a los enfermos. Les confió las mismas tareas que él mismo cumplía. Jesús –el Hijo de Dios– reconocía sus límites.

Confrontarse con los límites puede provocar sentimientos de culpa. Por esta razón, muchos no tienen el valor para ello y retroceden intimidados: ¿Quizá todavía pudiera ayudar a éste o a aquél? ¿Quizá pudiera realizar todavía esta disertación? De alguna forma será posible. O dejan que los otros provoquen en ellos remordimientos: "De pronto te vuelves egoísta. Sólo piensas en ti. Ya no percibes mis necesidades". Es muy difícil defenderse de esto. Y dado que los sentimientos de culpa son siempre desagradables, los evito y prefiero satisfacer todos los deseos de los hombres a mi alrededor. Para esquivar la sensación de ser utilizado por los otros, probablemente me engañe a mí mismo diciéndome que se trata de la voluntad de Dios. En última instancia, estoy realizando algo bueno. Me necesitan, entonces dejo que me utilicen. Inclusive trato de elevar aún más mi incapacidad de delimitarme y la transformo en una virtud de la que estoy orgulloso. Sin embargo, una actitud así toma venganza: en algún momento mi límite me alcanzará y me tornaré agresivo. Estaré enfadado con todas las personas que continuamente quieren algo de mí. Y también esta reacción es un signo de que no acepto mi propio límite: Prefiero enojarme con los demás antes que reconocer mi propia limitación.

Clarificar los sentimientos de culpa

La directora de un hogar de ancianos se entregaba por completo a la población del hogar. Continuamente traspasaba sus límites. Pero ella fundamentaba su constante intervención en la voluntad de Jesús que desea que nos ocupemos de los pobres y enfermos. Con este argumento religioso cubría su auténtica necesidad. En realidad, ella agotaba sus fuerzas porque buscaba reconocimiento. Pero reconocerlo requeriría humildad.

En cambio es mucho más sencillo esconder la necesidad de reconocimiento detrás una ideología que suena positiva. Sin embargo, el alma de esta mujer se rebelaba y le mostraba que su ambición espiritual no provenía de la voluntad de Dios, sino de la propia búsqueda de aprecio. Esto la llevó al acompañamiento espiritual. Ella contó que ya no podía sentir su propio corazón. Había perdido la sensibilidad por el lenguaje de su alma. Ya no podía escuchar la voz interior. La ideología religiosa había cerrado sus oídos de manera tal, que ya no percibía las tenues voces de Dios en su interior. En una situación de esta naturaleza es importante darse cuenta de que Jesús permaneció durante toda una noche en el monte para abrirse a la oración y escuchar la voz de Dios en la soledad y el silencio.

Un intendente muy ocupado escribió una carta en la que decía estar física y psíquicamente en sus límites. Le agradaba su función y también estaba conforme de ser el interlocutor para muchos. Pero sentía que ya no podía comprometerse más allá de la región. En esta situación sus colegas del partido le dijeron que era egoísta y pensaba sólo en él. Incluso le reprocharon con argumentos religiosos: Dios deseaba que él asumiera la responsabilidad por la sociedad. Tales reproches generaron remordimientos en él. Quizá Dios quisiera que él se comprometiera por los otros más allá de sus límites. Cada uno de nosotros es susceptible cuando le confían algo. Y tendemos también a internalizar sentimientos de culpa que nos son inoculados desde afuera. Casi no podemos defendernos de ello. Y, sin embargo, debemos soportarlo. También y precisamente porque los remordimientos mortifican es necesario enfrentarlos y reconocer al mismo tiempo los propios límites. No tengo ninguna garantía respecto a si pudiese y debiera comprometerme aún más. Y tampoco puedo decir a ciencia cierta cuál es la voluntad de Dios. Pero debo permitirme obedecer mi propia percepción. Si siento en mí una fuerte resistencia contra una mayor responsabilidad, puedo confiar en que es la voluntad de Dios. Yo mismo conozco mi medida. No deben ser los otros quienes prescriban mi medida. Debo defender mi límite y correr el riesgo de que mis colegas del partido, que persiguen sus intereses, o mi entorno, me reprochen egoísmo.

Quizá la gente a mi alrededor sepa muy bien cómo "convencerme". Sólo necesitan elogiarme y decirme que nadie puede hacerlo tan bien como yo. Y entonces ya dejo que me convenzan de algo que, si reflexionara con calma, nunca haría. Los otros notan dónde está mi talón de Aquiles, por el cual pueden infiltrarse en mí. En algún momento me enfadaré con ellos. Estoy molesto con las muchas personas que quieren algo de mí. Pero, si soy sincero, en realidad estoy molesto conmigo mismo. Las otras personas tienen el derecho de preguntarme si yo puedo hacer tal o cual cosa. No obstante, también yo tengo el derecho de decir que no y retroceder cuando lo necesito. Tampoco debo disculparme por ello y no debo rendir cuenta de ello. Un pastor evangélico aprendió, sin embargo, lo difícil que es escapar de esta presión de justificación. Durante años quiso responder a todos en la comunidad. Pero ahora había descubierto para sí el sendero de la contemplación. Sentía una profunda necesidad de estar en silencio y rezar. Esto, empero, lo llevó a un intenso conflicto con la comunidad, que no entendía que su pastor necesitara tiempo para la oración. No obstante, en la oración descubrió lo que era realmente importante. Ya no permitió que le impusieran los parámetros de la junta de su iglesia, que representaba un cristianismo muy aburguesado. La oración lo hizo sensible a lo que Dios quiere hoy en día verdaderamente de una comunidad y a cuáles son los auténticos anhelos y necesidades de los hombres. Y, naturalmente, ya no era tan fácil de manipular a través de los deseos de los demás.

Una mujer contó que ya no podía con su madre, que tenía constantes expectativas y exigencias frente a ella. La madre le exigía que vaya a visitarla semanalmente y la llamara todos los días por teléfono. "Todo me es demasiado. Siento que ya en el viaje hacia su casa el enfado crece en mí. Y luego, con sólo decir un par de frases, ya estoy colmada de ira". Le dije a la mujer: "¿Por qué está enojada con su madre? Ella puede tener las expectativas. Está en su derecho. Pero usted también puede negarse.

Usted debe decir qué expectativas desea satisfacer y cuáles no. No debe dejar librada a su madre esta decisión". La mujer no podía decir no porque quería ser para la madre la buena hija. Dado que ella misma no se protegió y no respetó sus propios límites, dirigió su enojo hacia la madre. En realidad, ella estaba decepcionada de sí misma. Una mirada a la conducta de Jesús puede dar el impulso correcto: él nunca se lamenta de que los hombres quieran algo de él. Él respeta sus límites y se protege. Hace lo que necesita en ese momento. No se justifica frente a los demás. Obedece su percepción interior.

Percibir lo que es posible

En la tradición de la orden benedictina existe una percepción desarrollada para el tratamiento de las cargas y reglas precisas que también están vigentes en la vida cotidiana de nuestras exigencias actuales. El fundador de la orden, San Benito, exhorta en este sentido al *cellerar*, es decir, al responsable de los múltiples asuntos económicos del convento: cuando la comunidad sea más grande, deberá buscar asistentes. Debe delegar el trabajo y distribuirlo sobre más hombres para poder cumplir la función que le fue confiada con calma interior. En latín se dice: *aequo animo* –"con ecuanimidad". Es un concepto de la filosofía estoica, para la cual era importante conservar en todo la paz y la calma interiores, y no dejarse arrastrar por las emociones. La filosofía estoica está convencida de que somos responsables de nosotros mismos y de nuestros límites. Si no nos sobreestimamos o sobreexigimos y distribuimos nuestro trabajo en forma justa, podremos trabajar con paz interior. Si estamos molestos, nunca deberemos adjudicar la culpa a los demás. En última instancia, nosotros somos los responsables de nuestro enfado. Nos enojamos por nosotros mismos, porque no hemos respetado nuestros límites. Para que nuestra alma esté equilibrada no sólo debemos limitar la medida de nuestro trabajo. Simultáneamente también debemos modificar nuestra actitud.

No debemos permitir que se transgreda nuestro límite interior. Lo que hacemos moviliza nuestras emociones. Pero el trabajo con sus conflictos no debe traspasar el límite del santuario de nuestra alma. Nosotros mismos somos responsables de ello y no debemos atribuírselo a nadie más. San Benito sabía que debía alentar expresamente al *cellerar* a respetar sus límites. Es necesaria la humildad para percibir qué puedo exigirme y qué debo delegar.

12. Estrategias de la delimitación
De la necesaria protección propia

"Jesús se toma un tiempo libre"

Jesús había enviado a sus discípulos para llamar a la conversión de los hombres, la expulsión de los demonios y la sanación de los enfermos. Los discípulos regresan de su misión y le informan con gran orgullo todo lo que les sucedió. Es posible imaginar cómo brotaban de ellos las palabras y el caos que surgía cada vez que deseban hablar acerca de sus hazañas. Jesús saca las consecuencias y dice a los discípulos: "Vengan aparte a un lugar desierto, y descansen un poco. Porque eran muchos los que iban y venían, de manera que ni aun tenían tiempo para comer. Y se fueron solos en una barca a un lugar desierto" (Mc 6,31 y sig.).

Jesús desarrolla una estrategia de delimitación. Reconoce que él no puede rechazar a todos los suplicantes. Cuesta excesiva energía decirle no a cada uno, o explicarle a cada uno que precisamente uno necesita ese tiempo para sí mismo. Él se dirige con los discípulos a un lugar en el cual está solo con ellos. Allí pueden contar con toda calma cómo les ha ido. Y pueden descansar y reunir nuevas fuerzas. Es decir, él busca un ámbito de protección externo para delimitarse de las personas. Él lo necesita para estar solo con los discípulos y tener tiempo para el intercambio. Jesús, asimismo, tiene necesidades y no tiene una resistencia ilimitada. Un libro infantil lo expresó de manera humorística: *Jesús se toma un tiempo libre*; así se titula este libro. Éste describe cómo se ha agotado Jesús y decide simplemente descender por un tiempo y tomarse un momento para sí mismo. Camina por el paisaje y goza del panorama. Anda en bicicleta y disfruta su movimiento. Ve con otros ojos la salida y la puesta del sol. De pronto, siente remordimientos porque debería estar para los hombres. Ellos lo necesitan. Sin embargo, su Padre Celestial le muestra que en todos aquellos lugares por los que anduvo en bicicleta, pleno de alegría, han nacido fuentes. Y allí donde él se quedó para observar el sol, se han abierto flores. Y él nota que su tiempo libre no fue en vano, sino que trajo más bendición que una acción esforzada.

Ayudas concretas

Cada vez que me dejo convencer por alguien para algo que en realidad no quería, me enfado. He desarrollado, entonces, algunas estrategias que me protegen contra el enojo y me ayudan a delimitarme mejor y más consecuentemente. La primera estrategia es que nunca acepto de inmediato una proposición en el teléfono, sino que solicito un tiempo para pensarlo. Entonces tengo tiempo de ordenar mis sentimientos. ¿Qué habla a favor? ¿Es conveniente ir allí? ¿Tengo ganas de ello? ¿Todo en mí se resiste contra ello? ¿Me siento usado? Escucho entonces mis sentimientos. Si percibo rechazo y resistencia en mí, al día siguiente tranquilamente puedo decir no.

Otra estrategia que utilizo es reservar para mí tiempos tabú claros. Antes aceptaba reuniones incluso los domingos al mediodía. No existía motivo alguno para decir que no cuando alguien solicitaba una reunión. Ahora he reservado para mí el domingo por la tarde y una noche en la semana. Si alguien tiene una solicitud, claramente le puedo decir que no. En esos horarios no acepto nada. Es el tiempo del repliegue durante el cual no estoy al alcance. Todos precisamos tales zonas tabú en nuestra vida, que nos son sagradas. Lo sagrado es lo que está sustraído del mundo. Los rituales pueden ayudar a proteger tales zonas. Creamos un espacio sagrado libre de las continuas exigencias alienizantes que se abalanzan sobre nosotros. El tiempo que reservo para mí es, en este sentido, un tiempo sagrado, porque tiene un valor para mí que ningún otro valor puede discutir. Durante este tiempo sagrado puedo respirar con alivio, tomo contacto conmigo mismo y estoy en contacto con Dios. Percibo cómo me vuelvo salvo e íntegro. El tiempo sagrado me hace bien, sana mis heridas, clarifica algo en mí que se ha enturbiado.

Dios le ha obsequiado al pueblo de Israel el tiempo sagrado del *sabbat*. El *sabbat* existe para que el pueblo descanse y se sustraiga del terror de los plazos. Pero Dios también invita al pueblo a santificar el *sabbat*. Lo sagrado debe protegerse; de lo contrario, perderá su efecto sanador. Para los cristianos, el domingo es el día sagrado. En nuestra época en la que los intereses económicos y las corrientes sociales desean horadar cada vez más el domingo, es tanto más importante conservarlo para nosotros como sagrado, como un tiempo en el que nadie puede determinar sobre nosotros qué podemos hacer, qué le hace bien a nuestra alma y a nuestro cuerpo. Muchas personas colman de actividades también el domingo. Con ello equivocan el sentido del domingo, en el que debemos delimitarnos conscientemente de los demás y de las tareas y expectativas que nos son presentadas desde el exterior.

Una tercera estrategia consiste en conversar con alguien acerca de las consultas. Entonces veo con mayor claridad cuán importante es la cuestión. Si se la cuento a otro, reconoceré si nuevamente estoy rendido a mis antiguos modelos, ante todo al modelo de querer responder a todos. Si analizo una cuestión en el equipo, los otros muchas veces aportarán informaciones que me mostrarán claramente qué está probablemente en juego. Entonces me entero de que el mismo grupo ya ha preguntado a éste o a aquél; me entero cómo actúan y podemos reflexionar sobre cómo reaccionar en conjunto frente a tales juegos.

Durante la conversación telefónica tuve la sensación de que realizar esa disertación o dictar ese curso era lo más importante del mundo. Ni bien analizamos la cuestión en el equipo, todos notamos qué poco claras eran las ideas del solicitante y cuán relativa era su necesidad. Él sólo quería ejercer presión y provocarme remordimientos. En realidad, él mismo no tenía en claro qué es lo que deseaba. Otro sitio en el cual deberíamos observar desde afuera las consultas es la supervisión. Al contarle a otro cómo manejamos nuestras citas, notamos que todavía no somos lo suficientemente claros y consecuentes.

Criterios de la clarificación

Tales estrategias son una ayuda para poder delimitarme verdaderamente, porque no son casuales ni tampoco aplicables a una única situación determinada. Presuponen una clarificación básica respecto a lo que en realidad quiero y puedo. Sin una estrategia, el deseo de la propia distancia a menudo se limita al propósito, pero no se hace realidad. Por cierto, no siempre ayudan las estrategias. Y tampoco debemos aplicarlas de manera absoluta.

También Jesús debió vivir la experiencia de que su estrategia de distancia no fuera un éxito total. Marcos relata: "Pero muchos los vieron ir, y le reconocieron; y muchos fueron allá a pie desde las ciudades, y llegaron antes que ellos, y se juntaron a él" (Mc 6,33). Entonces de nada sirvió la clausura con los discípulos y la pausa para el descanso. La multitud no respetaba la delimitación de Jesús. Tomaban sus propias necesidades como absolutas. Indefectiblemente querían ver a este Jesús. Y, evidentemente, tuvieron éxito. Jesús sintió compasión por las personas: "Y salió Jesús y vio una gran multitud, y tuvo compasión de ellos, porque eran como ovejas que no tenían pastor; y comenzó a enseñarles muchas cosas" (Mc 6,34). Evidentemente, también él fue tironeado hacia uno y otro lado, entre su necesidad de estar solo con sus discípulos y el conocer la verdadera necesidad de la multitud que había llevado hasta él una miseria interior. Y en el momento, él no vio a nadie que pudiera reaccionar adecuadamente a esta necesidad. Se sintió entonces empujado por Dios a abrirles los ojos a lo auténtico a estas personas y contarles acerca de un Dios que las ama incondicionalmente. Él quería abrirles un camino a la vida porque veía que, de lo contrario, se perderían.

Ante esta tensión nos encontramos siempre que queremos delimitarnos. Muchas veces los deseos de las personas que quieren algo de nosotros son totalmente justificados. ¿No debemos descuidar la propia necesidad para dedicarnos a ayudar a quienes verdaderamente requieren de nuestra ayuda? No es posible reprimir fácilmente estas preguntas. Es necesario enfrentarlas. Pero también es útil escuchar el propio sentimiento: ¿Me libera interiormente despedirme de mi propia necesidad para dedicarme a los hombres? ¿O se genera resistencia dentro de mí? ¿Presiento que solamente me utilizan? ¿O caigo en la trampa de sobreestimarme yo mismo y pensar que soy el único que puede ayudar aquí? ¿Respondo a un verdadero llamado de Dios? ¿O quizá me identifico con el arquetipo del profeta o del misionero, o acaso del redentor? ¿Creo que la gente me necesita porque proclamo un mensaje único? El margen es angosto entre el necesario escuchar el llamado de Dios y una posible sobreestima de mí mismo, respecto a que la gente dependa de mi trabajo y de lo que yo tenga que decir. Nunca tendré la certeza para saber si actúo correctamente. Debo vivir con esta inseguridad. En mi caso me conduce a tener que soportar ocasionalmente injurias: "Usted escribe libros tan bonitos, pero no tiene tiempo para mí. Usted prefiere asolearse bajo el éxito en vez de dedicarse a un hombre que tiene verdadera necesidad". Siento que tales frases despiertan remordimientos en mí, aunque sé que son una forma sutil de ejercer presión. Naturalmente, nunca puedo afirmar con absoluta seguridad que con tal o cual decisión cumpla la voluntad de Dios. Sólo puedo decir que en ese momento ni puedo ni quiero. Dejo en manos del otro si lo entiende o no. Debo soportar que esté decepcionado de mí y se torne agresivo.

13. Los límites crean relación
Del temor a la pérdida del amor y del amor logrado

Una nueva calidad de la relación

El motivo determinante por el cual nos resulta muchas veces tan difícil delimitarnos es el temor de volvernos impopulares, que molestaríamos o incluso romperíamos una relación, el temor a ser rechazados. En realidad, es a la inversa: la afirmación de los propios límites crea relaciones saludables. He tenido la experiencia de que otros hayan comprendido y respetado totalmente mi negativa, que inclusive haya dado lugar para hablar con más franqueza sobre mi situación y la de quien formulaba el pedido, más que si hubiera dicho que sí inmediatamente. La negativa no significa un rechazo del otro sino que es un ofrecimiento de entablar una relación en una forma que me haga bien a mí y al otro. Si siempre digo únicamente que sí, seré muy popular para muchos, pero la automatización del decir sí impide en realidad una relación saludable. Si me delimito claramente, también los otros podrán aprender de mí y encontrar el valor para su propia delimitación. Los libero así del remordimiento si ellos mismos dicen que no. Se sienten libres y me permiten a mí la libertad.

El encuentro del Jesús resucitado con María Magdalena muestra cómo la delimitación crea una relación (Jn 20,1-18). María Magdalena se levanta temprano por la mañana colmada del deseo de dirigirse al sepulcro. Ella busca a quien ama su alma. Quisiera volver a ver y tocar a Jesús, aunque esté muerto. Pero el sepulcro está vacío. Tres veces habla de que han retirado al Señor del sepulcro, y nadie sabe dónde lo han colocado. La tercera vez le dice al supuesto hortelano: "Señor, si tú lo has llevado, dime dónde lo has puesto, y yo lo buscaré" (Juan 20,15). Ella cree poder buscar para sí el cuerpo y tomarlo. En ese instante Jesús le habla por su nombre: "¡María! Volviéndose ella, le dijo en hebreo: ¡Rabuni! (Jn 20,16). En este corto diálogo fueron uno. Allí destelló el amor entre ella y Jesús. Ella quisiera retener ese amor. Abraza a Jesús. Pero éste dice: "No me toques, porque aún no he subido hasta mi Padre" (Jn 20,17). Es decir, Jesús pone un límite. No permite que lo retengan. Pero esta delimitación no destruye la relación. Por el contrario, permite una relación en otro nivel. En el otro, siempre existe algo que está sustraído a nuestro acceso. Este ámbito interior de silencio que también está en nosotros, es inaccesible para los demás; sin temor podemos delimitarlo. María Magdalena se siente tratada con amor por Jesús. Ella lo encontró. Ella experimentó una nueva calidad de relación. Esto la hace feliz y libre. Ella puede soltar a Jesús porque la palabra del amor que ha escuchado es más fuerte que el no de la delimitación. El no de la delimitación profundiza su amor.

Peligros en el amor

Esta experiencia no es infrecuente: parejas de novios y matrimonios cuentan a menudo que la cercanía excesiva les daña. Siempre necesitan también cierta distancia. Deben delimitarse entre sí, deben soltarse para volver a sentir ganas de estar el uno con el otro. Si las parejas están demasiado juntas, a menudo también aumentan las agresiones. Algunos piensan, entonces, que no se entienden demasiado. Tienen la pretensión interior de que al estar juntos deberían estar siempre colmados de amor. No reconocen que la agresión es un llamado para reservar el espacio propio. Están demasiado atrapados en su ideal de un amor siempre presente. Junto a la cercanía demasiado estrecha acecha otro peligro en el amor: es el empleo del otro para mí mismo. El psicoterapeuta Hans Jellouschek habla en este contexto de la "ampliación del yo". No veo al otro en su propia existencia, como el totalmente otro. Lo percibo en la medida en que me ayuda a encontrarme a mí mismo. A través del otro sólo busco ampliar mi propio yo. Jellouschek descubre en una situación tal la razón del fracaso de muchos matrimonios. Cada miembro de la pareja quiere incorporar en sí al otro. No prestan atención a lo que en el otro está sustraído para mi acceso. En el otro existe un espacio al cual no tengo acceso. Sobre el trasfondo del encuentro entre Jesús y María Magdalena podríamos decir: en el otro existe un misterio que lo supera a él y a mí. Y sólo si respeto este misterio la relación será exitosa. Si necesito al otro para mi propia realización, constantemente estaré decepcionado. Hans Jellouschek contrapone algo distinto frente a esta tendencia de utilizar a la pareja para sí mismo: la capacidad de entrega. Muchos sienten temor actualmente de entregarse. Consideran que se rendirían. Pero la entrega como traspaso de mi límite es el requisito para llegar a estar realmente en contacto con el otro, para ser uno con el otro.

A partir de la experiencia de asesorar a parejas vemos otro camino más para que la relación pueda ser exitosa. Jellouschek habla de que la pareja debe desarrollar un equilibrio entre el yo y el nosotros, entre la autonomía y la unión, y entre el dar y el recibir. El que quiera hacer todo solo se aparta tanto del otro que no puede existir un espacio común necesario para una vida en pareja. También el dar y el recibir deben estar equilibrados en una relación. Quien sólo es dador, en algún momento se sentirá usado. Y el tomador será cada vez más pasivo y carente de ideas. Sólo si ambos toman y dan nacerá una relación mutua que no estreche sino que sea fecunda.

Peter Schellenbaum habla del "no en el amor", de la "agresión entre los que se aman". Una relación saludable también necesita la agresión como fuerza delimitadora y simultáneamente aferradora para mantenerse viva. Si defiendo mis límites de manera correcta, el otro sabrá dónde está parado. Entonces respetará mis límites y también sentirá que sus límites son considerados. Sólo cuando ambos miembros se definen claramente en este sentido, podrán mantener una buena relación mutua, podrán visitarse mutuamente. En el amor muchas veces suprimirán los límites para fusionarse entre sí. Pero luego volverán a establecer los límites para poder comunicarse recíprocamente.

Del valor de la claridad

En el libro *Ich hörte auf die Stille* (Escuché el silencio), Henri Nouwen cuenta de su estadía de varios meses en el monasterio trapense de Gennessee. Él relata acerca de sus diálogos con el abad del monasterio. Nouwen busca en estas conversaciones una solución para delimitarse mejor cuando está de regreso en su casa y lleva a cabo su trabajo habitual. El abad le aconseja reservar tiempos claros para él, que sólo le pertenezcan a él y a Dios. Y opina que estos tiempos claros también le proporcionarían claridad en las relaciones con sus amigos. Si se decidiera a respetar tiempos fijos para la meditación, sus amigos lo apoyarían en ello: "Pronto descubriría que todos se sienten atraídos por este estilo de vida y quieren participar en él. En otras palabras, un estilo de vida delineado en forma clara, evidente y precisa me daría la posibilidad de entablar mejores relaciones con los hombres y me brindaría un criterio para poder evaluar con quién debería establecer una relación de confianza en mayor o menor grado intensa".

Si el otro sabe que soy inalcanzable porque estoy meditando, respetará mi límite. Pero me llamará luego con la conciencia tranquila cuando esté localizable. Los límites brindan claridad a la relación y, por ende, libertad.

Lo que Henri Nouwen cuenta de las relaciones con sus amigos también se aplica para la convivencia en la familia. Una y otra vez escuchamos de gente que siente temor ante las fiestas navideñas y las exigencias emocionales vinculadas con éstas. Muchos huyen al extranjero para evitar la reunión familiar en los días de celebración. La razón de esta resistencia contra la Navidad en familia se funda en la exigencia de que siempre deberíamos reunirnos. Una gran presión de las expectativas pesa sobre estos días de diciembre: todo deberíamos hacerlo en conjunto: comer juntos, jugar juntos, ir a misa juntos. Pero si pasamos demasiado tiempo juntos, no es de extrañar que crezcan las agresiones. También en la familia necesito espacios de libertad para poder disfrutar la convivencia. Estar juntos excesivamente tampoco es bueno. Una estudiante me contaba que su madre se enfadaba si ella quería salir a pasear sola en los días de Navidad. Este mero hecho ya lo percibía como la ruptura de la unión familiar. No obstante, si se quedaba con la familia, en realidad no tenían mucho para decirse. Lo principal, que todos estén juntos. Un compromiso de esta naturaleza es la muerte de una verdadera comunidad.

"¡No me toques!"

Un amor que encarcela, estrecha al otro y ahoga poco a poco el amor. El amor precisa una actitud que encontramos en las claras palabras de Jesús: "¡No me toques!". Cuando alguien siente que lo retienen, tratará violentamente de soltarse y liberarse. O se sustraerá cada vez más al amor del otro. Para que el amor permanezca vivo necesita cercanía y distancia. No sólo necesita fusión sino también delimitación. Y necesita el sentimiento de la más profunda indisponibilidad del otro, el reconocimiento del misterio en su persona, para que el amor pueda respirar, para que continúe siendo un hogar y no se convierta en una prisión.

Una joven mujer contaba que en su matrimonio se sentía como enjaulada. Si deseaba emprender algo por sí sola, su esposo quería saber exactamente qué hacía. Vigilaba celosamente que ella no hiciera o pensara nada respecto de lo que él no tuviera acceso. Evidentemente, era un temor a que ella pensara en forma independiente y diera pasos que la condujeran hacia una libertad sobre la cual él ya no tuviera poder. Otra mujer cuenta que después de su terapia individual debe contarle a su esposo todo lo que ha sucedido en la sesión. Evidentemente, él tiene miedo a que ella cuente algo de él y sobre él. El marido ni siquiera le concede el espacio privado de la terapia. Una prisión así no dura mucho, según lo demuestran todas las experiencias. O bien la convivencia se convierte en un infierno o uno de los dos escapará violentamente o se retirará por enfermedad del matrimonio. Si los afectados quieren evitarlo, únicamente deberán reestructurar su relación, de manera que la confianza y la libertad ganen espacio.

14. Traspasar los límites
De los desafíos y el valor

Un modelo de libertad interior

Los límites nunca son algo absoluto. También en el sentido positivo pueden convertirse en un desafío. Nuevamente podemos ver qué significa esto en el ejemplo de Jesús: en su vida, una y otra vez traspasa los límites. Lucas lo describe como el divino caminante, que desciende del cielo a la tierra para caminar con nosotros, los hombres, y recordarnos la esencia divina. El mismo nacimiento está marcado por transgresiones de los límites. Ni bien María está embarazada, abandona su casa y se dirige a través de la montaña a la casa de Isabel. María y José deben partir de su hogar para anotarse en los padrones en Belén. Durante el viaje nace Jesús. La huida lo conduce a Egipto. Y parte de su vida será la de un caminante que una y otra vez transgrede los límites religiosos: el límite de los samaritanos despreciados por los judíos, el límite de los pecadores y los recaudadores de impuestos, y el límite de los paganos. Y, finalmente, pasará sobre el límite de la muerte hacia la vida sin límites de la resurrección.

Continuamente podemos comprobar que Jesús no permite que le establezcan sus caminos desde afuera, y que tampoco lo hagan las advertencias de los fariseos: "Sal y vete de aquí, porque Herodes te quiere matar" (Lc 13,31). Jesús no permite que el rey enemigo Herodes le fije límites. Él anda su propio camino y persigue su misión. Entonces le contesta a los fariseos: "Vayan a decirle a aquella zorra: He aquí, echo fuera demonios y hago curaciones hoy y mañana, y al tercer día termino mi obra. Sin embargo, es necesario que hoy y mañana y pasado mañana siga mi camino; porque no es posible que un profeta muera fuera de Jerusalén" (Lc 13,32 y sig.). Jesús no permite que Herodes lo determine. Lo denomina "zorra". La zorra es astuta y taimada, pero frente al poderoso león es un animal insignificante. Más tarde, sus discípulos llaman a Jesús el "León de Judá". No permite que la zorra lo limite. El león establece por sí mismo los límites dentro de los cuales desea actuar. Con estas palabras, Jesús muestra que Herodes presume de poderoso y está colmado de intrigas. Pero, finalmente, no tiene poder. Jesús actúa en el ámbito de dominio de Herodes durante el tiempo que lo desea. En Jerusalén culminará su obra, por cierto a través de su muerte para los hombres. Pero este final no le es impuesto por los hombres sino por Dios. Es un límite interior que él siente dentro de sí y que acepta por propia voluntad.

En su viaje también se acercan otras personas a Jesús. Ellas están fascinadas de su libertad interior y su atracción, y desean seguirlo. El primer hombre le dice a Jesús, pleno de confianza en sí mismo: "Señor, te seguiré adondequiera que vayas" (Lc 9,57). Pero Jesús le indica las condiciones: "Las zorras tienen guaridas, y las aves de los cielos nidos; mas el Hijo del Hombre no tiene dónde recostar la cabeza" (Lc 9,58). Muchos desean hacer algo en su vida pero no prestan atención a las condiciones. Quisieran quedarse siempre en el nido familiar, entre los límites estrechos donde se sienten a resguardo. Tienen miedo de expandir sus límites. De tanto delimitarse ni siquiera se ponen en movimiento. Ni siquiera descubren el potencial que está dentro de ellos por temor a tener que abandonar el nido familiar, el reducido espacio circunscripto de sus límites actuales. Quien quiera seguir a Jesús, deberá sacar su cuerpo por la ventana y dejar que lo lleve el viento. Deberá abandonar la propia casa y mudarse a tierras extrañas, a ámbitos desconocidos en los que no sepa si está a la altura de ellos, y dónde y cómo podrá descansar. Pero quien rehuye lo desconocido, nunca crecerá más allá de su propia fuerza. Siempre probará únicamente la fuerza que ha sentido hasta ese momento. Su vida permanecerá estéril. Quien sólo ejerce la función según la prescripción, no será feliz con ello. Si bien tendrá una vida cómoda, será aburrida, falta de tensión. Es parte del hombre que deje atrás la estrechez y tenga el valor de medir sus propias fuerzas. También perderá. El que lucha, también será herido.

Actividad bloqueada

La psicóloga Margrit Erni habla acerca de que los hombres que exigen menos que sus posibilidades, muchas veces buscan actividades que "bajo circunstancias generales habitualmente se encuentran por debajo de su nivel moral usual. La actividad bloqueada puede tener consecuencias psíquicas negativas. El límite conducirá en este caso a un aislamiento peligroso que no sólo obstaculiza sino que también envenena". Necesitamos el desafío para hacer algo, para vivir sanos. Quien elude este desafío y prefiere instalarse en el nido del bienestar, no continuará su desarrollo. Pronto notará amargura y contaminación interior. Abraham Maslo habla acerca de que algunos retroceden por temor frente al propio potencial de crecimiento. Para él, según Erni, "esta limitación de sus expectativas, este temor de entregarse por completo, esta automutilación voluntaria, la aparente tontería, la falsa modestia, no son otra cosa que temor frente a la grandiosidad". Estas personas no confían en su vocación, la que han recibido de Dios. Artificialmente se empequeñecen. Tienen miedo de pasar su límite y de este modo se mutilan a sí mismas. Una canción religiosa moderna dice: "Mis límites estrechos, mi reducida visión los traigo ante ti. Transfórmalos en amplitud. Señor, apiádate de mí". Dios puede quebrar nuestros límites y transformarlos en amplitud. Los límites estrechos son una señal de temor y falta de libertad interior. El corazón amplio, que para San Benito es un signo de auténtica espiritualidad, quiebra esta estrechez. Quien transita un camino espiritual debe dejar tras de sí los límites estrechos de su autolimitación y su miedo, y tener el valor de avanzar hacia la amplitud de Dios.

Vida no vivida

Experimento cuál es mi límite recién cuando he pasado por encima de él. La vida de aquel que nunca tenga el valor de atravesar su límite, se marchitará. Erich Fried escribió un poema que nos describe mediante drásticas imágenes a una persona que por tanto temor a verse sobreexigida, no permite que se le exija nada y padece por su vida no vivida.

> *"También la vida no vivida*
> *termina,*
> *aunque quizá más lentamente.*
> *Como una pila*
> *en una linterna*
> *que nadie utiliza.*
> *Pero eso no sirve de mucho.*
> *Si*
> *(supongamos)*
> *queremos prender*
> *esta linterna*
> *después de determinada cantidad de años,*
> *no hay asomo de luz en ella.*
> *Y si la abres*
> *encuentras sólo tus huesos.*
> *Y si tienes mala suerte,*
> *también éstos totalmente roídos.*
>
> *Tu habrías*
> *podido iluminar*
> *así de bien."*

Un joven se acercó a mí. Había abandonado el bachillerato a los 15 años. Después de medio año ya había abandonado su primer curso como electricista. Su curso de jardinería lo resistió durante un año. Luego tampoco le gustó este establecimiento. Su madre siempre le había quitado todas las piedras del camino. Ni bien debía superar las primeras dificultades en la escuela o en el curso, él se daba por vencido y se refugiaba en el nido familiar de la madre. Allí existe calor íntimo, pero también limitación dentro de la cual nunca podrá resolver su vida. Él debe abandonar esta limitación para avanzar. Cuando le pregunté por sus deseos profesionales, él opinó que deseaba llegar a ser periodista deportivo en la televisión. Pero, más allá de una carta que nunca había respondido, nunca había emprendido ningún intento de alcanzar su objetivo. Fuera del nido de la madre fantaseaba con otros mundos a los que quería huir. Pero eran meras ilusiones. No dolían. Cuando le dije que la vida cotidiana de la televisión es tan áspera como el trabajo de jardinería, habló con entusiasmo sobre lo hermoso que es informar acerca de partidos de fútbol o carreras. Pero que precisamente él consiguiera esta profesión soñada es bastante improbable. Y seguramente nunca llegará a esta tarea si no desciende del nido de la madre y traspasa combatiendo los límites que él mismo se colocó.

Algunas personas no se animan a abandonar el nido porque ellas mismas han sido abandonadas. Una mujer, muy marcada por la experiencia como hija de una pareja divorciada, contó que su madre la ata siempre a ella con las palabras: "Si me dejas, me muero". Entonces, a los 33 años, ella continúa viviendo con su madre. Si bien la estrechez que la acorrala le resulta dolorosa, como hija de padres divorciados tiene miedo de perder ahora también a la madre. El padre simplemente se había ido de la casa. Si ella abandona a la madre –tal su profundo temor– ella misma se sentirá completamente abandonada. Entonces prefiere quedarse en el nido, aunque padezca la estrechez. Una persona así necesita, ante todo, experimentar una fuerza interior como un hogar interior, para poder dejar el "hogar" exterior que la estrecha.

Partir del nido materno es especialmente difícil. Pero a veces también es necesario el desprendimiento del padre. Veamos también aquí un ejemplo de una escena bíblica. A un segundo hombre que quería seguir a Jesús a toda costa, pero que previamente quería regresar a su casa y enterrar a su padre, el Maestro le dijo: "Deja que los muertos entierren a sus muertos; y tú ve, y anuncia el reino de Dios" (Lucas 9,60). Si bien el muchacho quería andar su camino, quería esperar a que falleciera su padre y estuviera arreglada la sucesión. Pero quien espera hasta que muera el padre, nunca hallará su propio camino. Siempre mirará hacia el padre y sus expectativas. Por temor a lastimar al padre él se adecuará en lugar de vivir su propia vida. Para los judíos era la máxima obligación y honor enterrar a los muertos. Jesús escandaliza al muchacho con su frase radical de que los muertos entierren a sus muertos. Por lo tanto, para el hombre el padre ya está muerto. Para él, la dependencia interna del padre es expresión de estar muerto. Quien sólo hace lo que dice el padre no está vivo. Quien quiera esperar a que el padre esté muerto, ya ha muerto ahora. Para que él mismo pueda vivir debe morir previamente el padre en el interior del hijo. A veces soñamos que el padre muere o ya murió. Tal imagen de los sueños nos muestra que interiormente nos hemos liberado de él y que ya no nos definimos en función de una autoridad exterior. En ciertas ocasiones, un sueño de esta naturaleza nos coloca frente a la tarea de dejar morir interiormente al padre para poder distanciarnos de él. Esto significa que sólo el que está en contacto consigo mismo y con la voz interior que escucha en el corazón podrá traspasar los límites estrechos que le establece el padre. Los buenos padres envían a sus hijos e hijas al camino. Les dan valor para buscar y transitar su propio camino. Los padres que limitan a los hijos e hijas a sus propias expectativas están, básicamente, muertos. Y deberíamos abandonarlos a sí mismos.

Confiar en la voz interior

¿Cuán libre puede ser mi camino personal en la vida? También aquí, nuevamente, un relato del Nuevo Testamento. Un hombre se dirige a Jesús y le dice: "Te seguiré, Señor; pero déjame que me despida primero de los que están en mi casa". Y Jesús le dijo: "Ninguno que poniendo su mano en el arado mira hacia atrás, es apto para el reino de Dios" (Lc 9,61). Estas palabras de Jesús se encuentran en el Evangelio según San Lucas. Cuando el profeta Eliseo le preguntó a su maestro Elías, si previamente podía despedirse de su familia, obtuvo la autorización para ello (Cfr. 1 Rey 19,19-21). Jesús rechaza esta propuesta. Su respuesta no dista mucho del concepto de los filósofos griegos. Lucas traduce las palabras de Jesús al mundo griego de su época. Si bien muchos desean andar su propio camino, traspasar los límites de su casa paterna, este paso debe ser permitido y confirmado por la propia familia. Pero si todos deben estar previamente de acuerdo con mi propio camino, entonces ya no es mi camino personal. Jesús nos alienta a andar el camino que hemos reconocido como adecuado, también cuando la familia y los amigos no comprenden este camino. Seguir a Jesús significa seguir la voz interior, la voz de Dios que me dice cuál es mi camino más propio. Reconozco esta voz de Dios en la propia armonía. Si ante una decisión existe paz dentro de mí, si siento vida y libertad, entonces puedo confiar en que es la voz de Dios que provoca esta decisión en mí. Y ésta es más importante que todas las voces de los habitantes de la casa. Debo seguir mi voz interior, aun cuando los hombres de mi entorno quieran apartarme de mi camino. No necesito la aclamación de los demás. La armonía interior es suficiente para andar mi camino con decisión.

Crecer con los objetivos

Jesús expresa a través de una imagen el modo en que debemos andar nuestro camino: el que ara el campo no debe mirar continuamente los surcos que va dejando. Si lo hiciera, los surcos que ara quedarían torcidos. Debe mirar hacia adelante, sin cerciorarse continuamente de que todo estuvo correcto. Jesús nos da valor para no definirnos en función del pasado y de las experiencias de los límites anteriores, sino continuar con valor. El arador no sabe cuánto dura su energía. Pero mientras ara un surco no debe detenerse. Mientras alguien tenga frente a sus ojos su objetivo tendrá la energía para continuar trabajando. Los objetivos activan nuestros potenciales. Friedrich Schiller dice con gran acierto: "El hombre crece junto a sus fines". Naturalmente, esta imagen de la mirada hacia adelante no debe tomarse como algo absoluto. Debo, además, estimar correctamente mis propias fuerzas. Pero si sólo miro la fuerza que tenía anteriormente, nunca descubriré cuánta fuerza queda aún en mí. La fuerza crece con el objetivo. Quien anhela un objetivo y lo persigue, notará de qué es capaz. Traspasará sus límites anteriores y chocará contra nuevos límites. Luego debería darse por satisfecho con estos límites hasta sentir un impulso para pasar también por encima de ellos. Reconozco dónde está mi límite recién cuando he pasado sobre él. Quien nunca llega al límite y un poco más allá de él, nunca llegará lejos. Y cuidar únicamente su propio bienestar en algún momento resultará aburrido. Por otra parte, quien va más allá de sus límites, se siente mejor.

En las conversaciones encontramos una y otra vez personas que se retraen dentro de sus propios límites. En una sociedad sin límites tienen miedo de volverse ellas mismas ilimitadas. El temor está justificado. Pero quien se deje determinar por este temor vivirá con estrechez. Falta el desafío a través de la vida. Tales personas apenas sienten entusiasmo. Tienen temor de perder algo si emprenden el camino y traspasan sus límites al comprometerse con un proyecto. De esta manera, su vida es estéril. Prefieren lamentarse por su vida no vivida, en vez de reunir el valor para partir y arriesgarse a la amplitud de la vida.

En la prisión de la Gestapo, el jesuita Alfred Delp escribió en un papel, en vista de la amenaza de ejecución por parte de los nazis: "El hombre sólo tendrá libertad si atraviesa sus propios límites". En la estrechez de la prisión, Delp experimentó una libertad interior que nadie le pudo quitar, ni siquiera a través de la muerte. Durante las primeras noches en prisión, el mismo Delp casi se había rendido a causa de los dolores insoportables de las torturas. Pero después de algunos días de prisión, él mismo traspasó los límites de su propio temor frente a los dolores. Y así consiguió una libertad que inclusive impresionó a sus esbirros. En la mayor estrechez exterior, se colocó en la amplitud de Dios. Lo que ha experimentado lo transmite –escrito con sus manos maniatadas– a sus amigos en libertad mediante las palabras: "Es necesario enfrentar la vela al viento infinito; recién entonces sentiremos qué viaje somos capaces de hacer".

15. Él proporciona paz a tus límites
De los requisitos para
una convivencia próspera

Una promesa

Existe un cuento chino que, en realidad, ilustra una promesa y un sueño de la paz: "Cuando la guerra entre los dos pueblos vecinos era inevitable, los comandantes enemigos enviaron espías para averiguar por dónde ingresar más fácilmente al país vecino. Y los informantes regresaron y notificaron a sus superiores prácticamente con las mismas palabras, que existía un solo lugar en la frontera para ingresar a la otra nación. Pero allí, dijeron, vive un pequeño campesino valiente en una pequeña casa con su encantadora mujer. Se quieren mutuamente y se dice que son las personas más felices de la tierra. Tienen un hijo. Si nosotros marchamos hacia el país enemigo a través de la pequeña propiedad, destruiríamos su felicidad. Por lo tanto, no puede haber guerra. También los comandantes lo entendieron, bien o mal, y la guerra no tuvo lugar, como cada uno comprenderá".

Dado que en la frontera vive una pareja feliz y religiosa con su hijo, no debe transgredirse el límite: ésta es una bonita imagen de la paz que Dios promete a nuestros territorios. Nos parece demasiado irreal, ya que los tiranos de este mundo y los poderosos en la economía no se preocuparán por la felicidad de un campesino y de su esposa. Para ellos prevalecen los propios intereses. Y, sin embargo, los poderosos tienen la percepción de que la felicidad no debe destruirse así porque sí. En todas las fronteras de este mundo viven personas que no desean otra cosa que convivir pacíficamente, que vivir conformes y felices. Y toda transgresión del límite destruye la felicidad de los hombres. Si los poderosos se conmueven con la felicidad de la gente pequeña, será cierto lo que Dios nos ha prometido: que traerá paz a nuestros territorios.

En la Biblia encontramos imágenes maravillosas de esta paz que Dios no sólo promete a los territorios de los hombres sino que les obsequia. Al cantar los salmos siempre me conmueven los versos del Salmo 147: "Alaba al Señor, Jerusalén; alaba a tu Dios, oh Sión. Porque fortificó los cerrojos de tus puertas, bendijo a tus hijos dentro de ti. Él da en tu territorio la paz. Te hará saciar con lo mejor del trigo" (Sal 147,12-14). Se presenta la imagen de una ciudad pacífica con puertas seguras que impiden la penetración del enemigo. Dentro de los límites de esta ciudad, los hombres se sienten bendecidos y protegidos. Tienen participación en la plenitud de la vida que Dios les ha obsequiado. Y pueden disfrutar agradecidos el trigo con el que Dios los sacia.

Trazado de fronteras políticas y religiosas

Podemos interpretar política y psicológicamente los versículos del Salmo 147. Desde la óptica política muestra qué importante es que los pueblos reconozcan sus propias fronteras y las fronteras de los países vecinos. Las guerras siempre tienen relación con violaciones de fronteras. Un pueblo desea expandir sus fronteras a costa de otros pueblos. Esto lleva a la contienda. Si los otros pueblos son más fuertes, éste se replegará y retraerá las fronteras dentro del propio territorio. La paz requiere fronteras claras y el mutuo reconocimiento de estas fronteras. No por nada, para los hombres de la antigüedad, las fronteras eran sagradas.

Para los israelitas no sólo eran importantes las fronteras políticas, sino también el trazado de fronteras religiosas, que principalmente llevaron a cabo en el extranjero. Los judíos estaban dispersos por todo el mundo en aquella época. Pero se diferenciaban claramente de las costumbres de los hombres a su alrededor. Ellos se atenían a sus leyes, a sus normas relativas a los alimentos y a la circuncisión. El establecimiento de fronteras religiosas ayudó a los judíos a fortalecer su pertenencia a un grupo y conservar la propia identidad en el extranjero. En la actualidad, corremos el peligro de abandonar cada vez más la identidad religiosa. Nos adaptamos a las condiciones sociales y no nos animamos a delimitarnos de manera saludable. Delimitarse no significa aislarse. Quien crea un gueto puede fomentar la agresión de la gente a su alrededor. Pero quien diluye los límites, perderá fuerza y claridad. Pronto dejará de saber quién es en realidad y a partir de qué raíz vive.

Hermandad – Límites hacia adentro y hacia fuera

Lo que se aplica en el ámbito político también es importante para las relaciones personales. Tanto en el matrimonio como también en la comunidad y en el trabajo debo observar mis propios límites y respetar los del otro. Ya he hecho referencia a este punto: muchos matrimonios se destruyen porque uno transgrede constantemente los límites del otro, quiere saber todo del otro, lo controla continuamente y se entromete una y otra vez en él. Precisamente el éxito de una relación estrecha depende del buen manejo de los límites propios y de los del otro. Esto se aplica principalmente para la etapa en que uno está enamorado. La ya mencionada psicoterapeuta Margrit Erni hizo hincapié en este peligro: "La fascinación del primer amor no quiere ver límites, considera alcanzable lo imposible, exige, sobreexige y destruye". Uno cree que puede pasar por alto todas las diferencias. Pero luego nota rápidamente que no sólo se ha casado con la pareja sino con toda la familia y con su entorno social y cultural. Uno cree que no es necesario tener en cuenta la diferencia de edad. Sin embargo, después de algunos años, experimenta con dolor lo joven o mayor que es la pareja y cuánto dista interiormente de uno, precisamente por no haber querido notar las diferencias.

En el matrimonio, ambas partes descubren que llevan en sí límites dados por el destino. Cada uno ha traído algo desde su educación que no puede simplemente dejar de lado. En la convivencia reconoce que la reacción frente a la conducta del otro está determinada por las experiencias propias del padre y la madre. Reconocerlo es un proceso de comprensión doloroso. Y sólo quien es consciente de estas marcas podrá reconciliarse con ellas y poco a poco superarlas. Jürg Willi, quien como terapeuta se ocupó intensamente con el logro de la relación de dos, opina que el matrimonio sólo tiene éxito si los cónyuges trazan límites hacia dentro y hacia fuera. En principio, los esposos deben delimitarse hacia fuera con respecto a sus familias de origen: "El cónyuge recibe unívocamente ventajas frente a los padres y los hermanos. Las familias neurotizadas, en cambio, tratan muchas veces de continuar atando al hijo o a la hija mediante maniobras de rechazo, de no liberarlo". La nueva familia creada debe proporcionarse un ámbito de protección propio dentro del cual pueda experimentar paz, como le está prometida a los territorios dentro del lenguaje de la Biblia. Si la familia puede crecer bien en conjunto, también abrirá con gusto la propia casa a los demás. También frente a los hijos deben delimitarse bien los padres. No deben mostrarles a los hijos cualquier tensión. Es perjudicial que el padre o la madre transgredan el límite de los hijos en conflictos de pareja, y que utilicen al hijo como consejero o aliado a quien se le cuenta todo acerca del integrante difícil de la pareja. Esta transgresión de los límites sobreexige al niño y puede tener consecuencias funestas.

Según Erni, en la convivencia es igualmente importante trazar límites hacia adentro. "A la relación simbiótica le falta una delimitación interior saludable; el individuo quisiera ser totalmente uno, perderse en el otro, entregarse a él. Este ideal romántico de armonía requiere una pared protectora especialmente fuerte hacia fuera: el propio idilio vivenciado como único no debe ser perturbado por influjos externos". La excesiva cercanía y el continuo ser uno impiden al individuo ser totalmente él mismo. No es posible ser uno con el otro sin negar así su propia identidad. Hans Jellouschek habla de la pretensión total sobre el otro. Al estar enamorado, uno tiene la sensación de que mutuamente se bastan, de que no son necesarios otros amigos, de que son totalmente felices. Pero este estado no puede retenerse sin que el matrimonio sufra perjuicios. Jellouschek presupone que la causa de esta pretensión total sobre el cónyuge es la reducción del clima interhumano en el trabajo y en la sociedad a meras relaciones objetivas, "que dejan al hombre hambriento y sediento de calor y protección. Naturalmente, las consecuencias repercuten en la convivencia de la pareja. La necesidad de una auténtica relación se dirige hacia un único miembro de la pareja. De él se espera que por la noche, al reencontrarse, vuelva a llenar el agujero que surgió durante el día".

Requisitos para una buena colaboración

En la empresa muchas veces existen problemas cuando los gerentes departamentales transgreden sus límites y se inmiscuyen continuamente en las áreas de los demás. En vez de preocuparse de los propios problemas, escarban en las dificultades de los otros. Un buen proceso laboral requiere que se respeten los límites. Si alguien trata de influir continuamente en mi área o incluso realiza tareas que son de mi competencia, me fastidia. Existe arena innecesaria en el engranaje. Es necesaria una clara delimitación para que todos puedan trabajar bien y con gusto. La colaboración exitosa requiere una buena sintonización. Y esto requiere, a su vez, la apertura de los propios límites frente a los otros sectores de la empresa. También existen empresas en las que cada departamento construye su propio reino que aísla de los demás. Estas fronteras generalmente se trazan por temor y por una exagerada necesidad de poder. Es sumamente difícil trabajar en conjunto con estas personas. Ellas están únicamente interesadas en su propio reino. Ambas cosas son importantes: un trazado claro de los límites y una buena permeabilidad de los límites. Aquí radica el requisito para una colaboración pacífica y próspera.

16. Ella no consideró su límite
De los medios contra el agotamiento y la extenuación

Riesgos de la propia sobrevaloración

Una sobrevaloración propia no realista siempre lleva implícitos riesgos. La voluntad de poder puede enceguecer y, por esta razón, ser peligrosa. En el Libro de las Lamentaciones, un israelita religioso manifiesta su dolor por la ruina de la ciudad de Jerusalén en el año 586 antes de Cristo. Él describe cómo la ciudad había pecado gravemente y se volvió horrorosa para todos los hombres. Un motivo de su conducta equivocada fue: "No se acordó de su fin; por tanto, ella ha descendido sorprendentemente, y no tiene quién la consuele" (Lamentaciones 1,9). Porque no observó su límite, se hundió en el polvo. Israel sobreestimó su propia fuerza. Había tratado con fuerzas extranjeras y creído poder obtener de ese modo su fuerza. Pero los reyes eran ciegos frente a las relaciones políticas del mundo Ellos cerraban los ojos frente a la propia insignificancia y limitación. Esto condujo a la ruina de la ciudad y al cautiverio babilónico. Jerusalén no sólo se hundió terriblemente; la ciudad tampoco tiene consolación alguna. Los hombres a su alrededor tienen la sensación de ser culpables ellos mismos de su caída.

Sigue vigente para nosotros, en la actualidad, lo que aquí se describe históricamente con relación a la ciudad de Jerusalén.

Se aplica para la sociedad pero también para los individuos. Los hombres que no observan su propio límite, se exceden. Se construyen una torre para la cual no tienen los medios. Jesús ya había advertido acerca de comenzar a construir su casa de vida más grande que la que corresponde a su propia mente: "¿Quién de ustedes, queriendo edificar una torre, no se sienta primero y calcula los gastos, a ver si tiene lo que necesita para acabarla? No sea que después que haya puesto el cimiento, y no pueda acabarla, todos los que lo vean comiencen a hacer burla de él, diciendo: Este hombre comenzó a edificar, y no pudo acabar" (Lc 14,28-30). Quien no acepta su propia limitación, cosechará burla y regocijo de los demás por su mal, ni bien los hombres se den cuenta de su sobrevaloración. Luego existirán observaciones tales como: "Siempre ha sido arrogante. Siempre cree saber todo mejor que los demás". Las personas que se crean una imagen excesivamente elevada de sí mismas comienzan a erigirse una casa de vida para la cual los medios de su inteligencia, su voluntad y sus posibilidades psíquicas no son suficientes. Un caso que ocurre con relativa frecuencia: alguien asciende en su carrera más alto de lo que corresponde a su aptitud. No admitirá que su tarea lo sobreexige, sino que hacia fuera se mostrará seguro de sí mismo. Consumirá su energía para mantener la imagen de una persona segura de sí misma. Pero detrás de la fachada existe un Yo pequeño y temeroso. Dado que no quiere ridiculizar a este Yo, se aferra a la fachada. En algún momento la casa de naipes se derrumbará. Quien fue tan seguro de sí mismo hacia fuera no experimentará entonces compasión, sino que sólo cosechará burlas. Para él se aplica lo que dice la elegía: "No encuentra quien lo consuele".

Estimación realista de sí mismo

Para que mi vida resulte, deberé reconocer mi limitación, deberé aceptarla y amarla. Mi potencial intelectual y espiritual es limitado. Si bien puedo y debo tratar de ampliar estos límites, esto no puede realizarse discrecionalmente. Mi cuerpo tiene límites. Existen valores límites físicos o espirituales que, como dice Erni, "al no ser respetados conducen a la autodestrucción". Si me sobreexijo continuamente, en algún momento transgrediré mi límite, que me conduce a la enfermedad.

Una razón para sobreexigirme es la continua comparación de mí mismo con los demás. No percibo mis límites porque exijo de mí trabajar tanto como el vecino, o ganar tanto dinero como un conocido. Quien durante años vive de este modo y en virtud de una motivación tal por encima de sus condiciones, se daña a sí mismo. Su espíritu y su cuerpo se rebelan y, de esa manera, lo obligarán a detenerse.

Los psicólogos conocen el fenómeno de la descompensación psíquica: los hombres no consideran su límite emocional y psíquico. Han permitido que otros se les acerquen demasiado. O no se percataron de su carga exterior. Trabajaron cada vez más sin respetar su límite psíquico. De esta manera, se han vuelto incapaces de percibirse a sí mismos en su limitación. Se asombran de que su cuerpo reaccione de pronto en forma intensa, y se resisten a tomar en serio las señales del cuerpo. Pero repentinamente ya no pueden dormir. Ya no son capaces de desconectarse. Tienen la sensación de que todo el mundo se detiene o pronto se derrumba. Ya no pueden manejar su mente. La falta de medida los enferma. El realismo con relación a las propias posibilidades puede evitar tales enfermedades.

Dos antídotos contra el síndrome de *burnout*

Actualmente hablamos del "síndrome de *burnout*". Se lo observa con suma frecuencia en personas que trabajan en profesiones sociales: entre los maestros, los asistentes espirituales, los médicos o quienes actúan en el ámbito de atención de pacientes, o entre los psicólogos. Sólo quien arde puede quemarse. Las personas que se desempeñan en una actividad social muchas veces tienen un ideal demasiado elevado. Quisieran estar totalmente para el otro. Pero el ideal muchas veces las enceguece frente a sus propias necesidades. Dan continuamente, pero apenas reciben algo. Al comienzo de su actividad les resulta placentero entregarse a los demás. Pero si su desempeño no es debidamente recompensado o inclusive si se aprovechan de ellas, entonces reaccionan con amargura, cinismo e ironía. Por haber prestado poca atención a sí mismas, de pronto se tornan duras, no sólo con su propia persona sino también con aquellos a quienes en realidad quisieran ayudar. Su idealismo ha desaparecido. Queda decepción y el sentimiento de haber sido utilizado.

Existen dos antídotos contra este "quemarse". El primer medio se refiere a factores externos. Debo reconocer mi medida dentro de la cual puedo dar. Debo percibir las señales de mi cuerpo cuando se vuelve excesivo para mí y –literalmente– "agoté todas mis fuerzas". Necesito la capacidad de trazar un límite. Debo aprender a reservarme tiempos libres que son sagrados para mí. Y debo limitar la medida de mi trabajo. Debo saber cuánto puedo exigirme. Naturalmente, una vez puedo pasar por encima de mis límites, ya que recién reconozco dónde está mi límite cuando lo he traspasado. Pero no debo vivir durante mucho tiempo por encima de mis condiciones y violar continuamente mi límite.

El segundo medio se refiere a la actitud interior. Quien da a los demás porque él mismo necesita dedicación, pronto habrá agotado sus fuerzas. Siempre que estamos agotados es un signo de que no vivimos a partir de la fuerza interior, sino que creamos a partir de fuentes turbias. En cada uno de nosotros brota una fuente del Espíritu Santo que nos refresca y nos otorga siempre renovada energía. A menudo creamos también a partir de la fuente del perfeccionismo o la ambición, a partir de la fuente de la propia necesidad o de la fuente del modelo enfermo de vida. Si sólo doy para finalmente ser visto, perderé la percepción de mi propio límite. Y por no considerar mi límite, sólo agoto mis fuerzas. Esto se evidencia a partir del relato de una mujer. Ella había limpiado y decorado muy bonita toda la casa. Su esposo debía notar, finalmente, el buen gusto que ella tenía y cómo se ocupaba de él y su familia. Sin embargo, cuando el esposo regresó a casa del trabajo, no notó nada. Ella estuvo terriblemente decepcionada. Había agotado sus fuerzas principalmente para ser vista y hallar reconocimiento. Más allá de la falta de atención que podamos atribuirle al marido, para esta mujer se aplica también que: si doy porque yo mismo necesito dedicación, perderé la percepción de mi persona y de mi límite. Si no estoy en contacto conmigo mismo, tampoco me percataré de mis límites.

La meta de la serenidad interior

Muchos desatienden durante años sus límites. En algún momento, su cuerpo enfermará, o el alma se rebelará contra esta constante sobreexigencia. Reaccionará con un trastorno psíquico, con depresiones, y en casos extremos, inclusive con impulsos psicóticos. O una persona así se torna agresiva. En vez de entregarse a los demás, lucha contra ellos. Su alma se rinde y no se preocupa más por los otros, se torna egoísta y gira sólo en torno a las propias necesidades. En tales situaciones sería importante descubrir la medida correcta para sí mismo. Sólo encuentra esta medida quien está en contacto consigo mismo.

Un camino para tomar contacto con uno mismo es la oración y la meditación. A través de la meditación conducimos nuestra propia respiración a la fuente interior, a la fuente del Espíritu Santo. Si yo respiro a partir de esta fuente, brotará desde mi interior. Si siento placer en el trabajo, tampoco me agotaré tan fácilmente. Quizá sienta cansancio, pero será un cansancio bueno. Tengo la sensación de haber hecho algo. Estar agotado y extenuado es otra cosa, ya que entonces tengo en mí la sensación de vacío e insatisfacción. Este cansancio me paraliza. A pesar del agotamiento, no puedo dormir.

Por esta razón, es muy importante escuchar a mi alma y a mi cuerpo. ¿Percibo insatisfacción, agotamiento, extenuación, dureza y amargura? Tales sentimientos son síntomas claros y señalan que creo desde una fuente turbia.

Con el objeto de hallar mi medida y mi límite adecuado debo observar tanto aspectos interiores como también externos. Atenerse a límites externos no es suficiente si la actitud interior se rebela contra mí. Si creo a partir de una fuente turbia, podré fijarme límites estrechos y no hallaré entonces mi paz interior. De todos modos me sentiré agotado y sobreexigido. Siempre es necesaria la serenidad interior. San Benito exige al *cellerar* que realice su trabajo con imperturbabilidad, *aequo animo*. Para lograr este equilibrio interior es necesaria la relación con mi fuente interior. Si mi trabajo fluye de esta fuente, no desatenderé mis límites, pero tampoco debo fijarlos con temor. El equilibrio interior me indica que actúo dentro de mis límites. Ni bien asoman en mí otros sentimientos tales como dureza, insatisfacción o la sensación de ser utilizado, reconoceré que ya no estoy en sintonía con mis límites interiores y exteriores. Entonces es hora de girar conscientemente el volante en sentido contrario.

17. Infringir las órdenes
De la doble cara de la violación de los preceptos

Del cerco de las leyes

Las órdenes y las prohibiciones forman parte de la vida. Y corresponde a la experiencia de vida su continua infracción o inobservancia. El profeta Isaías comprueba con resignación y a la vez denuncia que: "Y la tierra se contaminó bajo sus moradores; porque traspasaron las leyes" (Is 24,5). La historia de la humanidad muestra que los hombres una y otra vez violan también las leyes divinas. Ya en el paraíso Dios había prohibido a Adán y Eva comer del árbol que estaba en medio del jardín. Adán y Eva no cumplieron. Violar un mandamiento es como traspasar un límite. Nadie puede vivir sin haber pasado alguna vez el límite de alguna orden. Evidentemente, el hombre necesita leyes e instrucciones. Son como un cerco que si bien limita su vida, le proporciona seguridad. Pero al mismo tiempo, el hombre a veces percibe que el "cerco de las leyes" es muy estrecho. Quisiera traspasarlo. Muchas veces se trata de curiosidad, que le impulsa a trepar sobre el cerco y mirar qué lo espera más allá.

La enseñanza de "la hija de la Virgen María"

Este motivo también es descripto en muchos relatos, por ejemplo en el relato de la hija de la Virgen María: Un pobre leñador ya no puede alimentar a su hija. Entonces la entrega a María, la Madre celestial. Ella lleva a la niña al paraíso y allí la mima. Cerca de la bondadosa madre le va bien. A los catorce años, María se va de viaje. Entonces entrega a la niña las llaves de las trece puertas del Reino del cielo. Ella puede abrir doce puertas. Pero la puerta 13 no debe abrirla de ninguna manera. La niña abre las doce puertas. Detrás de cada puerta se encuentra sentado un apóstol rodeado de gran resplandor. Pero la niña no tiene calma hasta no abrir la puerta 13. Los ángeles le advierten, pero ella no puede resistir la curiosidad. Detrás de esta puerta ella ve a la Trinidad sentada en el fuego y en el resplandor. Observa todo atónita y con su dedo toca la luz. Entonces su dedo se vuelve dorado. Ahora la niña tiene miedo, su corazón amenaza con hacerse añicos. Cuando María regresa del viaje le exige la devolución de las trece llaves. Entonces ve que tiene un dedo dorado. María le pregunta tres veces a la niña si abrió la puerta 13. Pero la niña lo niega cada vez. Entonces es echada del cielo. Primero vive en la selva. El hijo de un rey encuentra a la ahora joven mujer y se casa con ella. Pero ella no puede hablar. Tres veces da a luz un hijo. En cada oportunidad viene la Virgen María y le pregunta si ha abierto la puerta prohibida. Siempre vuelve a negarlo. Entonces María toma al niño y lo lleva consigo al cielo. La gente en torno del rey considera a la reina una bruja que devora a sus propios hijos y la condena a morir en la hoguera. Cuando el fuego comienza a arder, ella grita en voz muy alta: "Sí, lo hice". De inmediato se abre el cielo y María viene a su encuentro, apaga el fuego y le devuelve los tres hijos".

Evidentemente, la joven debe abrir la puerta décimotercera. La hija debe violar la orden de la madre. Debe reunir sus propias experiencias. Si bien esto la lleva a tierras extrañas, precisamente allí se encuentra a sí misma. A continuación su vida se convierte en una única mentira y su aprieto es cada vez mayor, hasta que finalmente confiesa la gran mentira. Eugen Drewermann interpreta el cuento como el desarrollo de una joven mujer que, al principio, vive absolutamente en el ámbito de influencia de la madre. Ella debe liberarse de ese ámbito de influencia y conocer su sexualidad. Ella debe seguir su deseo de descubrir el misterio del amor que abre el cielo. La violación del límite la confronta en primer lugar consigo misma, y la lleva a una pena profunda. En primer lugar está en soledad rodeada de un seto espinoso. Ella anhela amor. Pero nadie puede traspasar el límite que ella ha construido a su alrededor. Cuando finalmente el hijo del rey atraviesa el seto espinoso con su espada, encuentra a la joven mujer hermosa y se enamora apasionadamente, pero ella no puede hablar. Ha enmudecido, es incapaz de decir lo que ha vivido como transgresión de la orden interiorizada de los padres. Es evidente que debe andar ese camino para que su vida resulte.

El desarrollo de todo hijo y de toda hija requiere de la transgresión de las órdenes de los padres para que los hijos reúnan sus propias experiencias. La transgresión de las órdenes de los padres también encubre muchos peligros. Un peligro también descripto en el relato es la gran mentira: Por un lado, quisiera seguir siendo una niña obediente. Por el otro, siente que hace tiempo ha dejado el ámbito de influencia de la madre. Pero no se anima a defender frente a la madre o el padre el propio concepto de vida. Tiene miedo de herirlos o de ser rechazada por ellos. Recién en el último momento, ante el máximo peligro, la hija de la Virgen María es capaz de ceder a la gran mentira y admitir el hecho. Y siente que recién entonces su vida vuelve a comenzar. La madre no es tan severa como lo había imaginado. Sólo desea que ella responda de sus actos. La verdad la libera. Evidentemente, la enseñanza de este relato es que no es tan grave violar la orden. Es más grave no creer en el perdón y vivir durante toda la vida en una mentira existencial.

El caballero Barbazul

Un motivo similar a la "hija de la Virgen María" lo encontramos también en el cuento del caballero Barbazul. Un molinero tiene tres hermosas hijas. Un caballero aparentemente noble les regala tres maravillosos pañuelos de cuello. Al poco tiempo aparece en el molino y le pide al molinero una de las hijas como esposa. La mayor de ellas acepta. Ella vive entonces en un lujoso castillo. Pero en realidad, su esposo es un caballero bandido. Él le muestra el castillo. Ella puede ingresar a todos los ambientes. Sólo le está estrictamente prohibido el de la puerta de hierro. Cuando el caballero se va a realizar su incursión nocturna con sus compañeros, le da a su esposa las llaves de todo el castillo, también la llave de la puerta de hierro. Y le da un huevo de color del que debe cuidar bien y que debe llevar consigo a todos lados. Como era de esperar, una vez que el esposo partió, la mujer abre la puerta de hierro. Se sobresalta cuando encuentra allí muchos cadáveres. El huevo se le cae en un charco de sangre. Cuando quiere limpiar el huevo, no puede hacerlo. Al regresar a casa, el caballero ve de inmediato que la puerta de hierro fue abierta y hace decapitar a su esposa por dos hombres. Lo mismo le sucede a la segunda hija. La tercera es más viva. Conserva el huevo debajo de la frazada. Coloca las cabezas de sus dos hermanas en una valija. Cuando el hombre regresa, ella le muestra el huevo intacto y le pide viajar con la valija a la casa de sus padres. Ella lleva la valija con las cabezas de sus hermanas. En casa celebra una gran comida. Como último plato sirve las cabezas de las hermanas. Entonces, el hombre se asusta y quiere huir. Pero los hombres armados que vigilan afuera lo atrapan y lo ponen en manos de la Justicia. Sus compañeros ladrones vienen por la noche al molino para asaltar a la tercera hija. Pero una criada corajuda les corta las cabezas, a uno tras otro.

En este cuento, la esposa debe violar la orden de su marido para liberarse interiormente y dejar su tiranía. Su aspecto violento debe hacerse público para poder liberarse de él. A la tercera hermana la ayuda un sueño y ella confía en su fuerza e inteligencia. De esta manera vence el cautiverio al que la había sometido su esposo. Si ella no hubiera transgredido la prohibición, durante toda su vida habría estado encerrada por ese hombre en su concepto de vida.

El cuento del caballero Barbazul contiene un conocimiento existencial al cual, en otro contexto, hizo referencia Peter Schellenbaum. Él dice que muchos cónyuges tienen miedo de sustraerse al ámbito de influencia de la persona amada, por temor a la soledad. El temor –según explica– se manifiesta en consideraciones como: "Si me libero de tu poder, si revolucionariamente rompo tu hechizo mágico sobre mí, si no me muevo más como tu marioneta, dejarás de interesarte por mí y de amarme". Para Peter Schellenbaum es necesario aprender el no en el amor, para que la relación no sea aburrida o para que –como es el peligro en una relación simbiótica– crezcan el odio y los resentimientos contra el otro. Sólo cuando ambas partes aceptan la mutua otredad, serán capaces de amarse mutuamente. Si sólo están unidos, entonces se acumula la violencia reprimida y en algún momento torna imposible la convivencia. Según Schellenbaum, es necesaria la transgresión de las expectativas del otro, aunque el otro no lo comprenda, aunque con ello le exija distancia: "La conciencia de la otredad crea la condición espiritual básica para el amor. Ésta es la razón por la cual el amor se ahoga tan rápidamente en muchos matrimonios: porque el oxígeno de la libertad, la autonomía, la incertidumbre y la soledad se acaba".

Equivocar la meta – Hallar la meta

La Biblia habla de la transgresión y la violación de mandamientos. En latín se dice para ello: *transgredior*. Esto significa: Voy más allá del límite. Paso por alto el límite. La misma palabra puede tomarse para el siguiente versículo del salmo "Contigo escalo muros" (Sal 18,30). El salmista expresa así su confianza de que Dios lo ayuda a saltar por encima de los muros enemigos y vencer al enemigo. Saltear órdenes a veces puede ser liberador. Pero también puede llevar a un callejón sin salida. No podré quedarme mucho tiempo en el ámbito prohibido. Esto sería mortal –para continuar con el lenguaje gráfico de los cuentos– para la hija de la Virgen María y para la esposa del caballero Barbazul. Pero, evidentemente, el hombre necesita la libertad para mirar y pisar por encima del límite de las órdenes, para luego sentir, a partir de la experiencia propia, cuál es el límite adecuado para él. La pregunta seria es: ¿El límite que comprendo como mandamiento divino, responde realmente a la voluntad de Dios o es más bien la expresión de mi estrecha educación? ¿Es un mandamiento del Superyo o un mandamiento de Dios? Para investigarlo, a veces debo traspasar el límite. Pero es determinante que pueda hablar de mis transgresiones de los límites y dar la cara por ellas. Sólo entonces no se convertirán en una gran mentira, en un enmudecimiento interior (como en el relato de la hija de la Virgen María) o en debilidad (como en el cuento del caballero Barbazul).

C. G. Jung considera que sólo una persona sumamente ingenua e inconsciente podría "imaginarse estar en condiciones de escapar del pecado". Si bien Jung, de modo similar a San Pablo, no nos quiere alentar a pecar, no existe posibilidad alguna de escapar absolutamente del pecado. El pecado original, tal como lo ha descripto la Biblia, es comprendido también por muchos exégetas como un camino de la concientización. Si bien el hombre transgrede el mandamiento de Dios, al mismo tiempo se le abren los ojos. Reconoce la diferencia entre lo bueno y lo malo. Crece. No podemos permanecer en el paraíso del seno materno, en el cual todo es uno sin diferencia entre sí. Debemos acatar los mandamientos de Dios, ya que son como una guía. No obstante, no debemos reprocharnos siempre si hemos avanzado más allá de los mojones de los mandamientos. Pecar se dice en griego *hamartanein* = "equivocar". En el pecado equivoco la meta. Paso de largo junto a lo correcto. Pero evidentemente, esto es necesario para volver a hallar la meta. El pecado como equivocación debe tomarse con seriedad. Pero si entendemos el pecado en este sentido, no será una carga para nosotros durante toda la vida. Por el contrario, será anulada por el amor de Dios que perdona, que nos confirma que somos aceptados por Dios con todas nuestras tentaciones y equivocaciones, y que somos llevados por su buena mano hasta encontrar la meta.

18. Paz sin límites
Del gran anhelo y lucha de trincheras en el propio corazón

Un concepto universal

La paz es algo universal, vasto. En Navidad escuchamos la promesa del profeta Isaías: "Porque un niño nos es nacido, un hijo nos es dado. Lo dilatado de su imperio y la paz no tendrán límite" (Is 9,5 y sig.). La paz que no conoce límites responde a nuestro anhelo más profundo. Anhelamos una paz que no esté atada a los límites estrechos de nuestra psiquis personal ni a los límites del propio país. La paz debe trascender todas las fronteras y tener validez para todo el mundo. Lucas nos describió el nacimiento de Jesús como la llegada del verdadero traedor de la paz. Frente al emperador de la paz, Augusto, que impuso la paz por la fuerza en el Imperio Romano, la Biblia nos muestra un concepto distinto de paz: Jesús trae la paz a toda la tierra a través de la debilidad de su amor. Él renuncia a medios de poder externos. Él confía en el amor que resplandece en el niño desamparado y expulsa toda la oscuridad del establo de la pobreza. Cuando él nace, los ángeles cantan: "¡Gloria a Dios en las alturas, y en la tierra paz, buena voluntad para con los hombres! (Lc 2,14). Esta paz no está ligada a las fronteras de Israel o del Imperio Romano. Rige para todos los hombres sobre quienes reposa la complacencia de Dios. Y es ilimitada porque es infinita.

Grandes luchadores por la paz, como Mahatma Gandhi y Martin Luther King nunca lucharon por la paz en su país. Siempre tenían a la vista el mundo todo. La paz que deseaban era para todos los hombres. Actualmente debemos presenciar con dolor cómo las naciones que proclamaron la paz mundial no la alcanzan porque piensan primero en sí mismas y porque consideran –al igual que los romanos– poder imponerla mediante la fuerza de las armas. La paz a la que se refiere Jesús detona y abre fronteras. No es una paz lograda por la fuerza, sino una paz que viene del corazón y que fluye hacia todos los hombres. La paz que emana de Jesús participa de la inmensidad del amor. Pablo dice acerca del amor: "El amor nunca pasará" (1 Cor 13,8). Traspasa los límites entre los hombres y los pueblos. Y tampoco en nosotros conoce límites.

Estar en armonía consigo mismo

La cuestión es cómo arribar a esta paz que comienza en el propio corazón y alcanza hasta más allá de los límites de los corazones humanos. Lucas nos muestra mediante la descripción del nacimiento de Jesús, que también en nosotros la paz de Dios puede hacerse realidad. Así como Jesús descendió del cielo a la tierra, también nosotros debemos abandonar el trono de nuestros elevados ideales y dirigirnos a las llanuras de este mundo. La paz no puede ordenarse desde arriba. Debe traerse precisamente a los lugares donde hay discordia. La tierra de Palestina era antiguamente una tierra de discordia, igual que ahora. Los romanos habían ocupado la tierra. El pueblo se sentía sometido. Los guerrilleros cometían permanentemente actos de sabotaje. En medio de esa situación nació Jesús. Dios se atreve a ser desamparado y débil en el niño en el pesebre. No viene con poder divino, sino con la debilidad del amor. La paz debe provenir del interior, no a través de una fuerza externa. Y la paz nace únicamente si estamos en armonía con nosotros mismos. Estará conforme consigo quien viva el momento, se desprenda de sus deseos y se entregue a ese momento. Y dice sí a lo que es y a lo que tiene.

Cada uno conoce su anhelo de paz. Pero si somos sinceros, descubriremos en nosotros ámbitos colmados de discordia, en los que nos sentimos desgarrados. Debemos permitir que penetre la paz a los ámbitos insatisfechos de nuestra alma, al caos interior, a las luchas de trinchera que se desarrollan en nuestro propio corazón. Cuando la paz haya atravesado todos los sectores en nosotros, también saltarán los límites que hemos trazado entre nosotros, los hombres: los límites entre pobre y rico, los límites entre judíos y griegos, entre hombres y mujeres, entre ancianos y jóvenes, y los límites entre las distintas culturas y religiones. Ya no tenemos necesidad de delimitarnos frente a quienes piensen de otro modo. Les deseamos la paz que sentimos en el corazón.

La paz tiene una dimensión espiritual muy profunda, y también un alcance tanto psicológico como social y político. Lucas comienza la historia de Jesús con el llamado de los ángeles en su nacimiento: "Y en la tierra paz para los hombres". Cuando Jesús, poco antes de su muerte, ingresa solemne en Jerusalén, la multitud le grita: "¡Bendito el rey que viene en el nombre del Señor; paz en el cielo, y gloria en las alturas!" (Lc 19,38). En el nacimiento de Jesús la paz de Dios descendió a la tierra. En su muerte en la cruz, sube al cielo. Durante su vida, Jesús llevó paz a todos los ámbitos de la vida humana. Todo lo atravesó con su paz. Como ya lo hemos señalado, Jesús fue, según Lucas, el caminante divino, que camina con nosotros y que al caminar supera todos los límites humanos, el límite entre justos y pecadores, entre hombres y mujeres, entre judíos y paganos. Como caminante divino, Jesús comparte con nosotros como regalo la paz. En su muerte en la cruz, esta paz penetra inclusive la más profunda aflicción que nos pueda ocurrir, la aflicción de la muerte. Ahora la paz no está sólo sobre la Tierra, sino también en el cielo. La paz deberá penetrar también todos los ámbitos en nuestra vida. Entonces será una paz infinita, una paz que llegue hasta el cielo.

La paz resplandece

Cuando una persona está plena de paz, las personas de su entorno lo perciben. Resplandece, y su paz salta las barreras entre los hombres y los pueblos. Actúa como la levadura, que atraviesa todo a su alrededor y lo transforma. Hoy en día necesitamos personas así, que no sólo quieren imponer la paz para su grupo, sino que están colmadas de paz, que la paz trascienda los límites de los pueblos y las culturas y comunique a todas las personas su fuerza interior. Justamente en nuestra época, en la que nuevamente irrumpe la violencia bajo el signo religioso, y un nuevo conflicto de las culturas y las religiones oculta dentro de sí potenciales de amenazas desastrosas, es necesario para todos nosotros que sobrevivan tales personas. Y todos nosotros estamos invitados a desarrollar esta fuerza interior en nosotros. Para que seamos capaces de una paz ilimitada, la paz debe trascender previamente los límites dentro de nosotros. Debe penetrar todos los ámbitos de nuestra alma, también aquellos que nos gusta delimitar y excluir, porque nos parecen extraños. Sólo cuando lo extraño en nosotros está pacificado, emanará paz de nosotros, que comprende también lo extraño afuera y los extraños en el entorno.

En la era de la globalización sentimos que no es suficiente si dos países vecinos viven en paz entre sí. Todos los pueblos deben convivir pacíficamente. Los políticos perspicaces han reconocido que son responsables por la paz en todo el mundo. Por esta razón, deben involucrarse cuando existen conflictos en países extranjeros que podrían llevar a una guerra civil. La preocupación por la estabilidad en otras regiones es un aporte a la paz mundial que no conoce límites. En nuestro mundo interdependiente no existen "islas de santos", aisladas. Janne Haaland Matlary, que fue viceministra de Relaciones Exteriores en Noruega desde 1997 hasta 2000, representa para mí a las personas que lo han reconocido. Como política cristiana ha intervenido incansablemente por restablecer la justicia y la solidaridad en los territorios en crisis. Éste fue su aporte a una paz sin límites. Ella no es la única que lo hace. Encontramos personas de esta naturaleza en todo el mundo. Todos, los poderosos y responsables, y con más razón los políticos cristianos, tienen actualmente la misión de mirar más allá de los intereses del propio país y comprometerse por la paz en un mundo entrelazado e interdependiente. Por cierto, todos podemos participar en ello, cada uno en su lugar y de acuerdo con sus posibilidades.

19. Tú has limitado los días de mi vida
De la verdadera sabiduría de la edad

Realizar la obra interior

La vida de todos nosotros está limitada. Job descubrió que Dios limitó los días de su vida (Job 10,20), y el reconocimiento de la limitación de nuestros días es para la Biblia un signo de sabiduría. En la actualidad, notamos en algunas personas ancianas que no quieren reconocer su límite de edad. Muchas veces han realizado grandes labores, pero por no poder desprenderse, destruyen la obra de su vida. Esto se aplica a los políticos que no pueden renunciar, para los psicoterapeutas y también para los maestros espirituales que ya no perciben cuando pasó su tiempo. Evidentemente, no quieren reconocer que su edad también les pone un límite a su acción. Muchas personas se han retirado en la vejez. C. G. Jung, en edad avanzada, escribe en una carta a alguien que quiere visitarlo: "La soledad es para mí una fuente de salud que hace que valga la pena vivir mi vida. Hablar se torna a menudo para mí un suplicio, y con frecuencia necesito un silencio de varios días para recuperarme de la futilidad de las palabras. Estoy en la retirada y sólo miro hacia atrás cuando no hay otra cosa que hacer. Esta partida es en sí misma una gran aventura, pero no es una de la cual deseamos hablar en detalle. Lo que usted imagina como unos días de intercambio intelectual, yo no podría soportarlo con nadie, ni siquiera con mis semejantes más próximos. El resto es silencio. Este reconocimiento se vuelve cada día más claro; la necesidad de comunicación desaparece". En su vejez, Jung no estuvo bajo la presión de tener que informar a todo el mundo su sabiduría. En cambio, tenía la sensación de haber realizado su obra. Ahora queda la obra interior. Y ésta debe realizarla solo. Las palabras de Jung me recuerdan a un anciano hermano de la orden que se estaba muriendo. A sus familiares que lo visitaron el día de su muerte, los envió rápidamente de regreso a sus casas. Quería tener su calma. Tenía la sensación de tener que dar el último paso en silencio.

Quien ha perdido la percepción del límite que Dios le ha impuesto en la edad, en la vejez a menudo posee aún una exagerada conciencia de misión. Considera que el mundo necesita exactamente sus palabras. Todavía debe modificar el mundo y colmarlo de su sabiduría. Sin embargo, un signo de sabiduría de la edad es desprenderse de sí mismo y de su aparente importancia, aceptar que ahora el silencio produce más que la repetición de las frases tan repetidas. Por respeto frente a la obra de los grandes hombres ancianos, nadie se anima a expresar una palabra crítica.

Soltar y entregarse

En la Biblia existen ambas cosas: oímos de personas mayores que se retiran satisfechas de la vida. Pero también encontramos otros ancianos que precisamente a edad avanzada tienen aún una misión especial, como Simeón y Ana. Simeón obedece la inspiración del Espíritu Santo en el templo y allí reconoce en el niño de José y María la luz que ilumina a los gentiles. Cuando toma al niño en sus brazos, reza: "Ahora, Señor, despides a tu siervo en paz, conforme a tu palabra" (Lc 2,29). Él ve completada su obra. Pero debió decir esta frase profética para señalar lo venidero, la salvación que Dios había preparado para el mundo en este niño. Ana ya tiene 84 años. Está continuamente en el templo y alaba a Dios. No depende de su obra sino que se entrega a la oración. Cuando María y José ofrecen al niño en el templo, ella se acerca y habla proféticamente sobre el niño. Se siente impulsada por el Espíritu Santo para pronunciar palabras proféticas, para revelar a los hombres el significado de este niño. A veces Dios tiene preparada una obra especial para las personas ancianas. Pero, evidentemente, Dios elige personas que se han desprendido de su obra, que están listas para entregarse totalmente a la voluntad de Dios. Cuando estos sabios ancianos elevan su voz, ella está libre de la presión de querer cambiar el mundo. Se trata, mucho más, de una voz permeable a la voz de Dios. Y a menudo resuena sólo un instante, precisamente cuando Dios desea hablar a través de ella.

Cuando los ancianos aceptan el límite de su edad, su vida adquiere nueva fecundidad. Pero quien a los 60 años desea continuar trabajando en la empresa con la misma intensidad que a los 30, continuamente llega a su límite. Un ingeniero como gerente de equipo, de 58 años, quería continuar siendo el más rápido de su equipo. Esto lo llevó al límite de su resistencia. Debió realizar horas extras y padecía visiblemente de insomnio. Él debía aprender, en primer término, a despedirse de su apogeo y reconciliarse con sus límites. Luego descubrió que a los 58 años tenía otras aptitudes, por ejemplo, que podía transmitir seguridad y confianza a los jóvenes trabajadores. No se buscaba su presteza sino su experiencia de vida y sabiduría. Pero esta sabiduría recién se muestra cuando los hombres aceptan su límite temporal y se reconcilian con él.

La Biblia cuenta de Sara e Isabel, que inclusive a edad avanzada eran fértiles y dieron a luz un niño. También ésta es una hermosa imagen. En la vejez crecerá algo nuevo, algo que ya no es obra nuestra sino obsequio de la gracia de Dios. En el Evangelio según San Lucas, el ángel Gabriel explica a María el embarazo de la anciana mujer Isabel: "Porque nada hay imposible para Dios" (Lc, 1,37). Si los ancianos se ponen absolutamente en manos de Dios, pueden suceder cosas grandiosas con ellos, y el fruto que crece en ellos puede ser una bendición para muchas personas. Pero siempre se trata de la obra de Dios y de la gracia de Dios, que actúa precisamente cuando el hombre acepta su límite y su impotencia.

Una leyenda india

Existe una bonita leyenda india acerca de dos ancianas que, durante una caminata, son dejadas atrás como estorbos inútiles por una tribu nómada durante un invierno sumamente frío, para que murieran en la soledad. Ambas mujeres están profundamente heridas. Pero entonces una de ellas dice: "Nos quejamos de no estar nunca conformes. Hablamos acerca de que no hay nada para comer y de qué bueno que era antes, aunque en realidad no era mejor. Vemos que ya somos tan terriblemente ancianas. Y ahora, después de pasar tantos años tratando de convencer a la gente joven de que estamos desamparadas, creen que ya no somos útiles en este mundo". Las dos mujeres no se rinden, luchan por su existencia. Encuentran el valor y la voluntad para sobrevivir. Y de pronto se vuelven salvadoras de su tribu. Encuentran suficientes peces y matan suficientes conejos como para sobrevivir. Guardan una gran provisión de pescado seco. Pero su tribu, que las ha abandonado, cae entretanto en grandes necesidades. En su desesperación, y plagado de remordimientos, el jefe de la tribu envía exploradores para buscar a las dos ancianas. Finalmente las encuentran en perfecto estado de salud. Al principio, las mujeres se comportan con rechazo. Están demasiado heridas. Los exploradores se comprometen con su vida por las dos ancianas. Quisieran verificar, previamente, cuál es la actitud de la tribu frente a ellas. Luego las ancianas están dispuestas a proveer alimentos. Pero la tribu debe vivir a cierta distancia de ellas. Recién entonces, poco a poco las ancianas permiten la visita de la gente. Y de pronto surge una nueva comunidad. Ambas ancianas no sólo salvaron la vida de la tribu con sus provisiones, sino que a través de su voluntad para soportar y su sabiduría le permitieron a la tribu un nuevo tratamiento con las personas ancianas y débiles. Las dos ancianas, que antes se lamentaban dolidas por las molestias de su vida, desarrollaron una energía y una capacidad insospechadas. Es una hermosa imagen de los ancianos que, con la edad, abandonan ciertas quejas exageradas y descubren en ellos algo nuevo.

Nuevas calidades

Mi antiguo maestro de novicios, el padre Agustín, que para mí representaba una porción de sabiduría de la edad, me dijo cierta vez que él nunca había pensado que sería tan difícil envejecer. Desde afuera siempre tenía la sensación de que él había logrado envejecer. Pero, evidentemente, también a él le costó mucho retraerse y aceptar sus crecientes molestias de la edad y soportarlas pacientemente. Aceptar el límite de la edad implica también padecerlo. Como organista, el padre Agustín padecía ahora que sus dedos ya no respondieran con tanta movilidad como antes, que ya no podía tocar como le habría gustado hacerlo. Pero después del almuerzo –cuando creía que la iglesia estaba vacía– se sentaba junto al órgano e improvisaba de una manera tal que siempre se reunía gente fascinada por su música. Su música irradiaba serenidad, lentitud, sabiduría, nostalgia y amor. Esta nueva calidad de su ejecución del órgano fue posible una vez que había aceptado sus límites. Su ejecución fue una bendición para algún oyente silencioso.

El Estado ha fijado un límite jubilatorio claro. A los 65 años es necesario dejar de trabajar. Algunos están felices de jubilarse y de tener tiempo para ellos. Pero no todos pueden manejar bien la cuestión. A algunos les provoca un *shock* la jubilación. Ya no son importantes, ya no tienen nada que decir. Un profesor universitario me contaba qué difícil fue para él no tener más a su secretaria, que le escribía sus discursos. Otros caen en una depresión de la edad o huyen de sí mismos mediante una actividad ajetreada. En el convento no conocemos un límite jubilatorio. Los hermanos mayores de la orden pueden trabajar tanto tiempo como lo deseen. Esto tiene ventajas, pero también acarrea riesgos. Algunos no logran desprenderse de sus tareas. Ya sea dentro o fuera del convento, manejar bien, es decir, con cuidado y serenidad, el límite de la edad es un arte. Actualmente, dado que las personas llegan a edades cada vez más avanzadas, sería bueno para muchos aprender este arte.

20. El límite de la muerte
De la serenidad en el final

Caminos para escapar del temor

En su vida, el hombre choca necesariamente con el límite de la muerte. Aceptar este límite es un signo de sabiduría humana. Ya el salmista reza: "Hazme saber, Señor, mi fin, y cuánta sea la medida de mis días. Sepa yo cuán frágil soy" (Salmo 39,5). Heinrich Fries denominó a la muerte la forma más extrema de la experiencia del límite. El filósofo Karl Jaspers habla de las experiencias del límite que pertenecen a la existencia del hombre y que debemos aceptar: dolor, lucha, culpa y muerte. Sólo así el hombre llevará su vida sobre "el fundamento abstracto que soporta la existencia", a la trascendencia que recién le permite vivir realmente. La vida resulta sólo cuando el hombre acepta este límite de la muerte y no lo reprime.

El psicólogo norteamericano Irwin Yalom demostró en su psicoterapia existencial que para el proceso terapéutico es necesario que el hombre se entienda con la angustia por la muerte. Yalom critica el psicoanálisis de Sigmund Freud precisamente porque nunca se ha preocupado por esta temática. Su convicción: el hombre puede curar sus modelos de vida neuróticos únicamente si se ocupa de la muerte y se reconcilia con ella. Él muestra que existen principalmente dos modos mediante los cuales el hombre quisiera sustraerse de la angustia frente a la muerte y consecuentemente, de su propio límite. Por un lado, la búsqueda de ser algo especial. Uno se imagina que es especialmente talentoso, que para uno mismo no rigen las leyes y por ende tampoco los límites que se aplican para todos. Las personas que viven así se hacen ilusiones de sí mismas para escapar de la limitación a través de la muerte.

La segunda posibilidad de escape consiste en colgarse de un gran salvador. Éste puede ser el terapeuta o el cónyuge, o un gurú espiritual. Uno glorifica a una persona y trata de vivir continuamente cerca de ella. De esto espera participar en la superación de la muerte. Uno proyecta en el gurú la expectativa de la propia inmortalidad. Sus límites, sus debilidades y errores humanos los pasa por alto, y, al mismo tiempo, es divinizado. Pero de esta manera se esquiva un paso absolutamente necesario: el encuentro con la propia muerte, con la propia limitación. Cuando esas personas, que han negado sus límites a la sombra de un gurú, se decepcionan en sus expectativas, cuando experimentan cómo se las deja caer, entonces les será tanto más difícil reconciliarse con sus límites.

Invitación a la vida

Que la vida de una persona resulte, depende de su relación con el último límite de su vida. Mi relación con el límite tendrá una apariencia siempre distinta según me imagine el más allá de este límite. Quien parte del hecho de que después de la muerte no existe nada, tenderá a reprimir el límite de la muerte y hacer como si morir y la muerte fueran sólo el destino de los demás. Heinrich Fries lo formuló de la siguiente manera: "Podemos protestar contra el límite, rebelarnos contra él, pero comprobaremos que es absolutamente en vano. A partir de allí surge un comportamiento que considera la vida como un absurdo, como una maldición y falta de sentido, como una pasión inútil". El camino cristiano consiste en reconocer el límite de la muerte, pero al mismo tiempo creer que para Dios no existe este límite. La fe cristiana dice que Dios nos esperará con su amor también más allá del límite de la muerte. Jesucristo superó el límite de la muerte en su resurrección. La palabra del amor que él nos prometió aquí en la Tierra también nos acompañará al morir. Quien cree en Dios como el más allá del límite, siempre reconocerá las muchas experiencias de límites que realice sobre la Tierra como una referencia al traspaso del límite de la resurrección. Para el hombre creyente, la muerte no es una condena cargada de maldición sino, como dice Heinrich Fries, "la puerta que conduce de la estrechez a la libertad y perfección de la vida, que ya no conoce la muerte".

En su discurso de despedida, Jesús dice que en su muerte se dirige a prepararnos un lugar (Jn 14,2). Él traspasa el límite de la muerte y va a la morada de Dios para prepararla para nosotros. En la Eucaristía, los creyentes celebran el traspaso del límite por parte de Jesús. Allí desaparece el límite entre el cielo y la tierra, entre la vida y la muerte, y nosotros echamos una mirada por encima del límite. Esta mirada por encima del límite no significa desdibujar el límite de la muerte, no querer reconocerlo, sino que nos alienta a aceptar el límite de nuestra muerte. Sólo podemos aceptar el límite de nuestra muerte si sabemos que existe algo dentro de nosotros que no puede ser limitado por este límite. Este infinito dentro de nosotros es el amor. Gabriel Marcel definió el amor con estas palabras: Amar a una persona significa decirle: "Tú, tú no morirás". El amor trasciende el límite de la muerte. Pero al mismo tiempo acepta este límite.

El límite de la muerte nos invita a decir sí a nuestra limitación humana y, al mismo tiempo, a nuestra inmensidad que Dios nos ha regalado. Se trata de soportar esta tensión. Entonces podremos aceptar el límite de la muerte. Entonces el límite de la muerte será una invitación a vivir aquí y ahora en forma consciente e intensa, a sentir el sabor de la plenitud de la vida. No debo amontonar todo en este tiempo limitado. Para algunos, el límite de la muerte es motivo para exigirse demasiado. El ajetreo sin descanso que esparcen es una protesta contra el límite que les fija la muerte. Ellos creen que, en lo posible, deberían producir mucho, experimentar mucho y desarrollar muchas capacidades. Esta presión contradice la aceptación de nuestro límite. Si lo acepto, entonces estaré agradecido por cada momento. Lo viviré en toda su plenitud. En este corto tiempo en el que estoy presente participo en todo. En este tiempo limitado experimento la inmensidad de la eternidad. Sigo siendo la persona limitada por la muerte y, simultáneamente, experimento en el límite con Dios la supresión divina de todos los límites.

21. Pasar de la muerte a la vida
De una vida en plenitud

Vida eterna - ahora

La muerte no es sólo una cuestión al final de nuestra vida temporal. En su Evangelio, Juan ve otro límite más que debemos atravesar. No es el límite de nuestra muerte física, que alcanza a cada uno al final de su vida. Juan se refiere, sobre todo, a que muchas personas no viven realmente aquí sino que están en el ámbito de la muerte. La vida auténtica significa para él creer. Creer es para Juan un cruce desde el ámbito de la muerte al ámbito de la vida. Quien tiene fe "ha pasado de muerte a vida" (Jn 5,24). Se ha mudado –así podría traducirse lo manifestado por Juan– "desde la muerte a la vida". Es como un cambio de vivienda. La muerte es como un domicilio del cual el hombre no puede partir. Este ámbito de la muerte está marcado por la ceguera y la superficialidad, por la falta de orientación y la carencia de sentido, por el vacío y la ajenidad. Nosotros sólo vemos la superficie de las cosas. Nos damos por satisfechos con el mundo y sus parámetros de éxito y reconocimiento, dedicación y confirmación. Quien cree, ve al mundo tal como verdaderamente es. Ve detrás de las cosas. Por lo tanto, la fe es para Juan el traspaso de un límite. Quien cree, escala lo visible. Escudriña profundamente las cosas. Las ve como expresión del amor creador de Dios. Y reconoce en sí mismo la vida divina. Toma contacto con su interior y allí encuentra a Dios, que le habla, que le abre los ojos al misterio del amor que lo atraviesa. Escuchar y creer son los dos caminos por los cuales el hombre puede llegar desde la ajenidad hasta su auténtica vida, del sinsentido al sentido, de la oscuridad a la luz. Al creer y escuchar el hombre puede comprenderse a sí mismo. Al escuchar la palabra de Jesús se vuelve correcto y ya no necesita ser juzgado. Ya pasó ahora de la muerte a la vida. En esto consiste para Juan la vida eterna. El creyente ya tiene aquí, dentro de sí, vida eterna divina.

La vida eterna no es entonces, en primer lugar, para Juan, la vida después de la muerte, sino una calidad propia de vida. Es una vida que ya esconde en sí lo eterno y divino. Dado que la muerte no tiene poder sobre esta vida divina, la vida eterna sobrevivirá a la muerte. No está sujeta al límite de la muerte ni al tiempo. La vida eterna no tiene "duración", sino que es vida en todo momento, vida en plenitud.

Del sentido de los rituales de transición

En todas las religiones existen rituales de transición. Ellos buscan ayudarle al hombre a traspasar determinado límite en su proceso de vida. En los rituales se ejercita lo que Jesús le prometió a sus discípulos: que en la fe ya pasan ahora de la muerte a la vida. Los umbrales provocan angustia, ya que uno no sabe qué le espera más allá del umbral. Los rituales superan la angustia. El nacimiento del ser humano, su paso a la adultez, el comienzo del matrimonio, la enfermedad y la muerte están acompañados de rituales de transición importantes. En cada transición el hombre pasa un límite. No se trata de un mero límite temporal, sino también uno interno. Al trascender el límite temporal ingresamos a un nuevo ámbito. Este ámbito es visto siempre por los rituales como un lugar interior. Los rituales de transición quieren ayudarnos a pasar de un ámbito que se ha vuelto estrecho al espacio ilimitado de Dios. En cada ritual de transición pasamos del ámbito de la muerte a la casa de la vida. En estos rituales ejercitamos el último paso de la muerte a la vida que nos espera en nuestra muerte física. En la muerte trascendemos, finalmente, el umbral hacia la vida eterna, hacia la vida divina. Allí viviremos por siempre en la casa de la vida y en la casa del amor.

Individuación y mística

Dios compenetró en Jesucristo también nuestra naturaleza humana con su vida divina. Trascendió el límite hacia nosotros, los hombres, y se hizo uno con nosotros. En su Evangelio, Juan respondió al anhelo de los hombres de ser uno. El anhelo de fusionarse con Dios en la experiencia mística y disolver todos los límites ha despertado nuevamente en la actualidad. No obstante, corremos el riesgo de perder, a través de la falta de límites, también nuestra propia individualidad. Para C. G. Jung, esta fusión como disolución de la propia individualidad es un paso atrás a la *participation mystique*, como se la conocía en los inicios de los pueblos. Allí no existe diferencia entre sujeto y objeto. Para Jung es función de la terapia disolver la *participation mystique*, romper la simbiosis, para que el hombre pueda ser él mismo. Jung lo denomina el proceso de "individuación". Ésta es para él, como lo ha comprendido Verena Kast, un "proceso de diferenciación que tiene por finalidad el desarrollo de la personalidad individual". Las fantasías de fusión son un retroceso para él, una regresión a la Gran Madre con la que simbióticamente crecemos juntos. La mística cristiana siempre sostuvo que a pesar de toda unidad, el individuo continúa siendo él mismo. Si bien habla también de la muerte del Yo, se refiere con ello al desprendimiento del Ego, a la renuncia de la absorción egocéntrica de Dios para sí mismo. La muerte del Yo significa dejarse caer en Dios, soltarse, para que Dios pueda hacerse realidad en uno. El encuentro con el "tú" de Dios requiere que yo deje la estrechez de mi Ego para poder ser uno con el Dios totalmente otro. Pero en la unidad continúa el conocimiento de la dualidad del yo y el tú. En el proceso de volverse uno con Dios tiene lugar lo que Martin Buber reconoció como el misterio del verdadero encuentro: "Yo llego a ser en ti". Encuentro mi verdadero ser recién cuando parto del estrecho Ego y me introduzco en el totalmente otro "tú" de Dios.

Verena Kast opina que las experiencias místicas de Santa Teresa de Ávila fueron experiencias de fusión. No obstante, no le impidieron actuar con energía en este mundo. Y ella libera a Teresa del reproche "de haber sido sólo simbiótica y no individuada". Para Verena Kast es importante que, en la experiencia mística de ser uno con Dios, reconozcamos simultáneamente el límite entre Dios y el hombre. De lo contrario, se llega a una fusión poco saludable y, finalmente, a la disolución de la persona. Pero esto no es una individuación, una autorrealización, sino una autodisolución. Sin embargo, si al volverme uno con Dios sé del límite entre Dios y el hombre, entonces la experiencia de unidad es una ayuda importante en el camino hacia el verdadero ser propio.

El Concilio de Calcedonia describió en forma sobria y a la vez genial lo que sucede al volverse uno con Dios. El Concilio habla de la encarnación de Dios en Jesucristo. Jesús es verdadero Dios y verdadero hombre. La divinidad está en la humanidad; sin embargo, ambas no están entremezcladas. El hombre no se disuelve en Dios y Dios no lo hace en el hombre. El hombre se vuelve uno con Dios pero continúa siendo él mismo, expuesto a su propia caducidad y debilidad. Sólo así la fusión mística no se convierte en regresión, sino en cumplimiento de nuestra encarnación. Si somos uno con Dios, si la vida divina ya no puede separarse de la nuestra humana, pero si, simultáneamente, no está mezclada en nosotros, llegaremos a un auténtico ser propio, seremos uno con la imagen primitiva y auténtica de Dios en nosotros. El límite entre Dios y el hombre continúa, aunque ambos estén vinculados entre sí.

Una relación personal

El límite entre Dios y el hombre es precisamente el requisito para una verdadera relación entre Dios y el hombre. Es una relación de amor, una relación personal. Allí donde esta relación se diluye, donde el hombre se hunde en Dios como una ola en el mar, allí tampoco existe ya la culpa. Dado que no existe ninguna persona que pudiera ser culpable. La culpa es entonces la mera imaginación. Para algunos es fascinante, ya que están hartos del discurso cristiano de pecado y culpa. Quisieran pasar por encima de los límites estrechos de la culpa, pero, en última instancia, niegan una concientización y diluyen sus límites. Tal mística de unidad pierde imperceptiblemente la percepción de los límites de los hombres. Pero quien deja de aceptar los límites, los transgrede *de facto* y los viola sin notarlo. Luego, de alguien que se siente lastimado, se dice en el mejor de los casos, que no está iluminado. Su herida es mera imaginación. En la gran unidad no pueden existir heridas. Muchas veces he experimentado que los hombres que hablaban de la gran unidad, no percibían los límites de los seres a su alrededor. Si estos otros no compartían su sentimiento de unidad, se los dejaba caer sin piedad. Y aquel que había provocado la herida se sentía libre de culpa. Un gurú espiritual dijo a una mujer que había dejado atrás una infancia difícil: "Tú misma eres responsable por tu dolor. Tú misma te provocas tu dolor". Para ella fue una herida muy profunda. Naturalmente, existen personas que magnifican su dolor, que se aferran a la ilusión de una vida sin penas y, naturalmente, también existe el aumento del propio dolor a través de la imaginación. Pero esta mujer realmente había padecido en su vida cosas graves provocadas por los demás. En lugar de aceptar su historia de heridas, el gurú preparó una teoría sobre el dolor que no existe realmente sino en la imaginación: una teoría cómoda e injusta que no permite reconocer percepción alguna de la relación humana y que es ciega frente a los demás y a su auténtico dolor. Quien argumenta que el grito de alguien que padece sólo muestra que no es una persona espiritual, se escuda en realidad detrás del concepto de unidad y no permite que las demás personas se le acerquen.

Es cómodo anular la culpabilidad del hombre y solazarse en la unidad con Dios. Pero es un paso peligroso a la regresión, al inconsciente, y precisamente lo contrario de la individuación junguiana. La verdadera mística de la unidad, tal como la han comprendido Evagrius Ponticus y el maestro Eckehart, siempre respeta también el límite del hombre. Los místicos cristianos no le niegan al hombre su culpabilidad, sino que más bien ven en ella un signo de la dignidad del hombre. Dado que el hombre puede decidir entre la luz y la oscuridad, entre la vida y la muerte, también puede tener culpa. La culpa remite siempre a la persona libre del ser humano. Y su dignidad radica en su ser persona.

El último cruce del límite

Para Juan, pasar de la muerte a la vida significa pasar de nuestra existencia humana, que se define por el mundo y sus parámetros, al mundo divino, a un mundo en el que nos vemos desde Dios, penetrados por el amor de Dios, aceptados incondicionalmente por Dios, dotados de vida divina. El mayor límite que el hombre puede superar es el límite hacia Dios. Quien cruza este límite hallará vida verdadera. Podemos traspasar este límite porque Dios lo ha pasado para nosotros en la encarnación. Pero no podemos realizar el cruce de este límite de manera consciente. Tiene lugar en nosotros. Siempre es un regalo y una gracia. En la oración y en la contemplación sólo podemos prepararnos, podemos intentar traspasar este mundo en la fe. Pero el modo en que de pronto nos encontremos más allá del límite divino en Dios, no podremos explicarlo. Es un milagro de su gracia. No es una transgresión consciente sino más bien una forma de ser arrastrado por encima de nosotros, un éxtasis del amor que sucede con nosotros cuando soltamos nuestro Ego y nos dejamos caer en Dios. Entonces nos sentimos en Dios, estamos unidos, puros y fusionados.

Epílogo

Mientras escribíamos el libro acerca del límite, con frecuencia hemos experimentado nuestro propio límite. Una y otra vez sentimos lo difícil que es a veces delimitarse correctamente, no de manera ruda y fría, sino manteniendo una buena relación con quien establecemos el límite. Y hemos notado con qué frecuencia los hombres tratan de pasar por alto o esquivar nuestros límites. Es menester una gran claridad, consecuencia y serenidad interior para no dejarse confundir o enfadarse.

Al intercambiar nuestras experiencias sobre los límites y las formas en que las distintas personas abordan el tema de las violaciones de los límites, hemos comprobado una y otra vez que también en este sentido son muy distintos entre sí los hombres y las mujeres. Ni bien los hombres se sienten lesionados en sus límites, se retraen más fácilmente a su guarida. Ellos quieren acallar todo de ellos mismos. Se quedan en su guarida del silencio o también del trabajo hasta que la herida sane. Las mujeres tienen en cambio la necesidad de hablar sobre sus heridas. Ellas desean clarificar la situación a través de la comunicación. No obstante, en última instancia, cada hombre o mujer tiene una estrategia distinta para fijar los límites, para respetarlos o para reaccionar frente a las violaciones de los límites. Con el objeto de que el encuentro sea exitoso es necesario considerar la diversidad y limitación de cada individuo. Recordemos las palabras de Romain Rolland citadas en la introducción: No sólo deberíamos respetar los límites propios y ajenos sino también amarlos. Ésta es una llave para el éxito de la vida, una llave para la felicidad.

Tampoco después de escribir este libro tenemos garantía de que siempre podremos delimitarnos. Sentimos que, con los años, debemos manejarnos distinto con los límites. Los límites se tornan más estrechos. Será entonces siempre una tarea descubrir y proteger los propios límites. Pero tan importante como ello es también desarrollar una percepción del límite de los demás y respetarlos. No debemos establecer nuestros límites como norma para los demás. Cada uno tiene su límite y su manera de tratar sus límites. No nos compete un juicio al respecto.

Al ocuparnos del tema del límite hemos reconocido también la claridad con que se los expresa en la Biblia y en los cuentos: para que la vida del individuo resulte, éste necesita un buen manejo de los límites. En estos textos antiguos se evidencia una y otra vez que la observancia de los límites es un requisito importante para que la relación resulte y el encuentro sea fructífero. El encuentro es exitoso cuando respeto el límite del otro y el mío propio, y al mismo tiempo salto por encima de ellos. El encuentro vive del respeto y la transgresión del límite. Si me detengo en mi límite, sólo podré observar al otro desde lejos. Si paso por encima de mi límite y el del otro con excesiva rapidez, no habrá encuentro sino una absorción o acaso una fusión prematura. El verdadero encuentro siempre tiene lugar en el límite. Percibo al otro como tú en su ser distinto sólo si respeto su límite. Simultáneamente, en el auténtico encuentro siempre existe una transgresión del límite. Algo fluye en una y otra dirección entre el otro y yo. Más allá de los límites se realiza entonces un intercambio. Pero el intercambio presupone los límites. Sin los límites, todo se diluye, pero no fluye en una y otra dirección. Todo se disuelve en una mixtura uniforme e indefinida de emociones.

La relación entre novios y matrimonios sólo resulta si las partes encuentran una relación adecuada de cercanía y distancia, de establecimiento de límites y transgresión de límites. El tratamiento correcto de los límites, de los propios y los ajenos, es una condición para que la pareja se mantenga y permanezca viva. Respetar el límite y trasponerlo es siempre una empresa arriesgada. Excesiva delimitación reseca la relación; muy poca delimitación lleva a estar pegado con el otro, lo cual paraliza la relación. El buen manejo de los límites es un arte. Y debemos aprender el arte de este equilibrio durante toda la vida. Nunca podemos decir que dominamos este arte, ya que la relación entre el límite y la transgresión del límite debe sopesarse continuamente, según la edad, según la condición interna y externa de las partes.

También la relación entre Dios y el hombre vive del manejo correcto de los límites. El hombre anhela ser uno con Dios. Pero el riesgo es que se desintegre a sí mismo en este anhelo y destruya su persona. La fórmula clásica "no fusionados y no separados" muestra el camino hacia la unidad del hombre con Dios, que al mismo tiempo respeta y resguarda el límite entre Dios y el hombre. El mayor honor del hombre –según dicen los antiguos monjes– consiste en ser uno con Dios en la oración. Pero para ser uno con Dios debo pasar por encima de los límites de mi Ego estrecho. Debo tomar distancia de mí mismo para no absorber a Dios y no comprimirlo en mi estrecho Ego. Simultáneamente, no debo disolverme en Dios. De lo contrario, la unidad sería una regresión, el intento condenado al fracaso del paso atrás a la unidad del seno materno. La verdadera unidad pasa por encima del límite entre Dios y el hombre y al mismo tiempo lo conserva. En esta unidad, Dios sigue siendo Dios y el hombre, hombre. Para los antiguos, la sabiduría del hombre consiste en aceptar este límite entre Dios y el hombre. "El principio de la sabiduría es el temor de Dios" (Prov 1,7). El temor de Dios significa, empero, ser alcanzado por Dios, frente a frente, como el misterio inconcebible desde el cual se dirige a mí un tú, para encontrarme y ser uno conmigo.

Por lo tanto, el tema del límite atañe de manera central todos los ámbitos de nuestra vida: nuestro trabajo, el tratamiento de nosotros mismos, nuestras relaciones y nuestra vida espiritual. En todos los ámbitos se trata de fijar límites y de respetar los límites. Les deseamos a las lectoras y los lectores que encuentren la medida para fijar y transgredir sus límites, y respetar los límites propios y ajenos, para que los encuentros resulten y su vida tenga cada vez más éxito.

Bibliografía

THEA BAURIEDL, LEBEN IN BEZIEHUNGEN. *Von der Notwendigkeit, Grenzen zu finden (Vivir en relaciones. De la necesidad de hallar límites)*, Friburgo, 1997.

EUGEN DREWERMANN/INGRID NEUHAUS, *Marienkind. Grimms Märchen tiefenpsychologisch gedeutet (La hija de la Virgen María. Cuentos de Grimm interpretados psicológicamente)*, Olten, 1984.

MARGRIT ERNI, *Grenzen erfahren (Experimentar los límites)*, Olten, 1978.

HEINRICH FRIES, *Grenze (Límite)*, pp. 568-571, en: CHRISTIAN SCHÜTZ (Edit.), *Praktisches Lexikon der Spiritualität (Diccionario práctico de espiritualidad)*, Friburgo, 1992.

THERESIA HAUSER, *Grenzerfahrungen. Das Thema* 20/77 *(Experiencias de límites. El tema* 20/77*)*, Munich, 1977.

HANS JELLOUSCHEK, *Die Kunst als Paar zu leben (El arte de vivir en pareja)*, Stuttgart, 1992.

HANS JELLOUSCHEK, *Bis zuletzt die Liebe: Als Paar im Schatten einer tödlichen Krankheit (El amor hasta el final: Como pareja a la sombra de una enfermedad mortal)*, Friburgo, 2002.

BARZ, H. (Edit.): CARL G. JUNG. *Grundwerk VI: Psychologie und Alchemie (Obra fundamental VI: Psicología y alquimia)*, Olten, 1985.

NIEHUS-JUNG, M. (Edit.): CARL G. JUNG. *Gesammelte Werke VI: Psychologische Typen (Obras completas VI: Tipos psicológicos*, Olten, 1960.

CARL G. JUNG, *Briefe III (Cartas III)*, Olten, 1973.

VERENA KAST, *Wege aus Angst und Symbiose. Märchen psychologisch gedeutet (Caminos del miedo y simbiosis. Interpretación psicológica de cuentos)*, Munich, 1987.

THOMAS LEYENER, *Grenzerfahrungen (Experiencias de límites)*, en: LThK, 1040.

HENRI J. M. NOUWEN, *Ich hörte auf die Stille (Escuché el silencio)*, Friburgo, 2001.

HORST PETRI, *Das Drama der Vaterentbehrung (El drama de la falta de padre)*, Friburgo, 2002.

JAN-UWE ROGGE, *Kinder brauchen Grenzen (Los niños necesitan límites)*, Hamburgo, 1993.

PETER SCHELLENBAUM, *Das Nein in der Liebe. Abgrenzung und Hingabe in der erotischen Beziehung (El no en el amor. Delimitación y entrega en la relación erótica)*, Munich, 1986.

VELMA WALLIS, *Zwei alte Frauen. Eine Legende von Verrat und Tapferkeit (Dos mujeres mayores. Una leyenda de traición y valentía)*, Munich, 1993.

IRVIN D. YALOM, *Existentielle Psychotherapie (Psicoterapia existencial)*, Colonia, 2000.

KARL-HEINZ ZIEGLER, *Grenze (Límite)*, en: RAC, 1095-1107.

Índice

Se terminó de imprimir en julio de 2013 en Editar Todo,
Calle 13 4305, Berazategui, Provincia de Buenos Aires
Tirada: 1000 ejemplares